英語落語で世界を笑わす！

― シッダウン・コメディにようこそ ―

立川 志の輔 × 大島 希巳江

研究社

はじめに

「英語落語は、カリフォルニア・ロールです」と私はよく説明します。
　いまやスシは世界中で愛される、日本を代表する食べ物となりました。でも最初の頃はナマの魚を食べることから"raw fish"などと呼ばれ、なかなか食べる人も少なかったのです。そんな中、カリフォルニア・ロールという寿司の中では邪道な食べ物が発明され、大人気となりました。このカリフォルニア・ロールがあったから、ナマの魚を食べられない外国の人たちもスシ屋に通い、やがて「たまには本物のスシも食べてみようかな」ということでマグロやハマチのにぎりなども食べるようになったのです。つまり、カリフォルニア・ロールは寿司が好きな日本人や寿司職人からすると「あんなもの、寿司じゃない」と思われるようなシロモノですが、それがきっかけとなってスシが世界に普及したということなのです。カリフォルニア・ロールなしでは、今日ほどスシが知られるようになったかどうかわかりません。知られるようになったとしても、もっと時間がかかっただろうと思います。
　英語落語についても、これが本物の落語です、というつもりはありません。英語版をつくる過程で削ぎ落とされるもの、足されるもの、いろいろありますから落語と Rakugo は同じものではあり得ません。落語としては邪道かもしれない英語落語ですが、スシのカリフォルニア・ロールのように、まずは口当たりのよい"きっかけ"としての役割が果たせればいいと思っています。英語落語を観て「ああ、日本人も面白いなあ。思っていたよりも親しみやすいなあ」とか、「日本文化って興味深いなあ」と思ってくれればまずは成功だと思います。そこから、今度日本人を見かけたら話しかけてみようとか、今度の春休みには日本へ行ってみようとか、そんなふうにつながっていったらいいなと思うのです。実際に、英語落語の公演を観たことがきっかけで、日本語の本物の落語を観てみたいと思った学生さんから日本語の勉強を

始めた、というメールを何通もいただいています。うれしいことです。そうして、落語や日本文化が日本の良いイメージとして世界に普及して、寿司が sushi になったように、落語も Rakugo となって広まっていってほしいと思います。

　もう一つ、私が英語落語の海外公演を通して目指していることは、「平和な関係づくり」です。

　笑いというものが、お互いの敵対心を取り除き、友好的な人間関係をつくるということはよく知られています。人は、自分を笑わせてくれる人に対して敵意を持ちません。日本人である私たちが落語という芸を通して、さまざまな国の人たちとともに笑うという平和な環境をつくる、これを地道に続けることに大きな意義があると考えています。海外公演をしていると、公演終了後に会場で観客の皆さんと歓談することがよくあります。本当に心からの笑顔で「面白かった！」と声をかけてくれます。インドでも、フィリピンでも、パキスタンでも・・・、感じることは「この人たちとは将来、何があっても絶対に争いたくない」という強い思いです。現地のお客さんも、「日本人は面白い、いい人たちだった」と思ってくれているに違いありません。これは、お互いに今後長い間持ち続ける気持ちだと確信しています。英語落語の海外公演は、そんな活動の場として、今後も大事にしていきたいと思っています。

　今回は、お忙しい中、本気で英語落語に取り組んでくださった立川志の輔師匠に本当に感謝しています。そして、このような対談が実現したことをうれしく思います。今後さらに多くの落語家さんたちに、英語落語を習得しに来てほしいと思っています。

　最後に、このような形で出版してくださった研究社の吉田尚志さんをはじめ、関係者の皆様に心よりお礼申し上げます。

2008年1月

Laugh & Peace,
大島希巳江

もくじ

はじめに　iii

PART 1
対談「英語落語は世界で通用するか」............1
〜「笑い」はことば・文化の違いを超えて〜
　　　　立川 志の輔 vs 大島 希巳江

PART 2
これが英語落語だ！（CD収録）...............49
「時そば」Time Noodles　50
「権助魚」Gonsuke's Fish　70
「お菊の皿」Okiku's Plates　102

付録1
英語落語傑作選 127
「壺算」Pot Mathematics　128
「代脈」The Substitute Quack　146
「たぬさい」Coon Dog and a Gambler　162

付録2
英語で紹介する「落語」基本用語集 177

CD 収録の内容と音源

1 立川志の輔「時そば Time Noodles」(収録時間 16 分 35 秒)
2007 年 11 月 5 日、文化放送スタジオにて録音したもの。

2 大島希巳江「権助魚 Gonsuke's Fish」(収録時間 26 分 14 秒)
2007 年 8 月 18 日、マレーシア、クアラルンプールの The Actors Studio で行われた
"Rakugo in English"(主催:国際交流基金/日本大使館、後援:日本航空)を録音したもの。
＊ライブ録音のため、お聞き苦しい箇所がございます。あらかじめご了承ください。

3 大島希巳江「お菊の皿 Okiku's Plates」(収録時間 17 分 5 秒)
2005 年 7 月 16 日、ヤマハホールで行われた『大銀座落語祭』「英語落語会」
(主催:六人の会　後援:銀座通連合会・全銀座会)にて録音したもの。
＊ライブ録音のため、お聞き苦しい箇所がございます。あらかじめご了承ください。

PART 1
対談

英語落語は世界で通用するか
~「笑い」はことば・文化の違いを超えて~

立川 志の輔
落語家

vs

大島 希巳江
英語落語プロデューサー&パフォーマー

> 何か小咄でもいいからひとつ
> 英語でやれたらいいのになあ

大島 師匠、このあいだの「大銀座落語祭」(注1)では英語落語会にゲスト出演していただき、ありがとうございました。昨年に続いて、師匠にとってはこれが2回目の英語落語になりますが、今回の師匠の演目「時そば」、とてもよかったですね。ところで師匠、英語落語は、私がお願いしたからとか、言われたからやっているんだというのかもしれないのですが…、そんなわけはないですね?

志の輔 ええ、そもそもやってはみたかったんです。長い落語でなくてもいい、小咄でもいいから。というのは、どの国へ行っても主催者とご飯を食べたり、小さなパーティがあったりするじゃないですか。そこで必ず、司会の方やいちばん偉い方が、「この人は『落語家』といって、日本のオールド・コメディ・ストーリーテラーなんですよ」と紹介してくれる。そのとき、マジシャンならマジックができるし、パントマイムの人はパントマイムをやればみんなが喜ぶ。これが見せる芸ならいいんだけれど、ことばの芸だからニコニコ笑っているしか手がなくて…。「何か小咄でもいいからひとつやれたらいいのになあ」と思っていたのが原点なのです。

　実は、メキシコの日本人会で落語会をやる機会がありましてね。

日本語で落語をやるなら世界中問題はないわけですから気軽に引き受けたんです。ところが、1世の方は日本語がよくわかるんですが、2世の方はおぼろげながらわかる。3世はもうスペイン語じゃなければわからない。そして主催者が「久しぶりに日本の落語家が来るので集まってください」みたいな宣伝で１０００人ぐらい集めたという情報が入ったわけです。だったら、初めに小咄をひとつ、オール・スペイン語でやってみようということで、その日、急いでホテル日航メキシコの日本人スタッフに、「この小咄をスペイン語に訳して」と頼んで、スペイン語に直したものを今度は、「現地の人にそれを見せて、笑うかどうか試したい」と。そこで、その文章を見せたら、メキシコ人が笑ったのです。「じゃあ、それを発音してくれ」と言って、今度は発音をカタカナで書き取って、丸覚えして高座に上がったのです。たった５行ぐらいの小咄なのにやっぱり緊張して、最後までは話せなくて、途中で、懐に入れておいた紙を出してカタカナ読みで読んだのです。笑ってくれましたよ。もっとも、何としてでもスペイン語で小咄をひとつやらねばならない、というあわてた姿に笑ってしまったみたいなのです。

大島 なるほど。

志の輔 それがとてもよい経験で、「外国に行ったら、その土地のことばで、小咄のひとつでもしゃべると喜ばれるんだ」と気がついたのです。外国人が来日して、「ミナサマ・ドウモアリガトウ」と言うだけでもほほえましいのに、そこへジョークを言われたら…。そ

PART 1　対談　英語落語は世界で通用するか

う思ってるところに先生のおかげで、いいきっかけが「大銀座落語祭」の英語落語会だった、ということです。

大島 英語のほうがラクじゃないですか、スペイン語より。

志の輔 何ですって！（笑）

大島 最初がスペイン語だったら。

志の輔 単純に音だけを暗記する大変さは同じですよ。

大島 そうですか。

志の輔 でも、なまじ英語を中途半端に理解しているほうが、かえって間違いが多かったり、あるいは覚えたつもりになってしまうから、逆にスペイン語の文法も意味も全くわからない、音だけのほうが、ひょっとしたら早く身につくんじゃないんですかね。

大島 完璧には覚えるかもしれないですね。

志の輔 かもしれません。雑念は入らないし。それしか方法がないんだもの。ところが、前置詞 in だったか at だったかという余計な知識がある英語は、かえって辛い部分があるかもしれないけれど。

大島 師匠は覚え方が几帳面なんですよ。

志の輔 几帳面って？

大島 アメリカ人だって、onとかatなんて、間違いだらけのまましゃべっていますからね、結構ね。本当はあまり気にしなくてもいいかとは思うのですが。

志の輔 いまさらそんなことを（笑）。でも、英語で仮に短い落語でもやれたら、いろんな国のパーティで挨拶ができると思うと、気分いいですよね。

大島 やっぱり、そういう意味では、英語圏でなくても英語がいちばん通じますからね。

日本人はとにかくつまらないと言われるのです

志の輔 ところで、先生は英語のプロフェッショナルでありながら、どうして落語をやろうと思ったんですか。

大島 本当は、最初は落語じゃなくてもよかったのです。とにかく、何でもよかったのですが、いろいろな国へ行くと、「日本人はとにかくつまらない」と言われるのです。「日本人って、つまらないよね。日本人って笑わないよね。何が楽しくて生きているの？」みたいに言われるわけです。私は、「そんなことはない。日本人も結構冗談も言うし、ワーッと笑ったりもするのですよ」と言うのです。「じゃあ、

どんなことで笑っているの？ ちょっと言ってみてよ」と言われると、これが結構難しいのです。

志の輔 そりゃそうでしょう。

大島 それこそ、小咄のひとつふたつでも持っていないと。といって、日本人は日常的にそればかりやっているわけでもないので、日本人がふだん、何で笑っているかというのはなかなか難しいのです。これはどうやって、「ぎゃふん」と言わせようかなと思っていまして。いろいろ考えたあげく、落語がいちばんよかったのです。漫才でも何でもいいのですが、外国の真似じゃない証拠が欲しかった。「日本人は真似するのが得意だ」と、これもまたよく言われているので、日本オリジナルの笑いを見せつけなければ、この人たちは納得しないということで、落語を素材に選んで。これを英語にして、外国の人に見せる。最初は、見せつけるぐらいの気持ちでしたね。1997年でしたが、それが最初ですね。

> 英語のことを考えてると、あらためて日本の落語の中身を考えてしまうの

志の輔 それは、いいことをしてくれましたね。英語のことを考えてると、あらためて日本の落語の中身を考えてしまうの。たとえば、よく言っているんだけど、自分のことは、「わたし」「わたくし」「僕」「おいら」「手前」…という、いろいろな言い方があって。また相

手は、「あなた」「お前」「貴様」「てめえ、このやろう」といった、いろんな You があって。だからこそ、会話だけの落語という芸が成り立つわけじゃないですか。だけど、英語の場合には、自分はすべて I だし、どんな偉い人だって You だし、ホームレスだって You だし。そんな英語で、「ああ、お前か。こっち来いよ」と言うだけで、この人のほうが上なんだ、この人が下なんだと瞬時にわかるイマジネーションをガーッと掻き立てられるような落語が、はたしてできるのか、ずっと疑問だったんです。

大島　そうなんです。ここが本当に難しいところで、日本語なら単語ひとつで、そもそも通じるものが、英語にするとそれだけでは通じないですから、どうしても説明がくっ付いてきてしまうんですね。だから、日本語で落語をやるときほど、シンプルにはいかないというのが現実です。もしくは、何かがそぎ落とされてしまうというか。おっしゃるように、誰でもかれでも You なんですね。目上でも目下でも。日本語の場合は、やっぱり呼びかけによって、上下関係とか人間関係を表すのですが、英語はそういう意味では平等をすごく意識しているということも言えるのです。上だろうが下だろうが、男だろうが女だろうが、You と I という社会的平等をそれで表現しているとも言われています。だから逆に、日本はどちらかというと社会的な地位の違いがかなりあるから、呼びかけのことばがたくさんあるということもあるのです。

志の輔　たとえば、番頭さんにいじめられてる奉公人たちが、カ

を合わせて番頭さんに仕返しをたくらむとか、あるいは、家賃を取られるのは当たり前なのに、そのことに不満を持っている長屋の住人が、大家をへこませたりというような設定は、基本的にはほかの国にはないですよね。

大島 そうですね。まあ、どこの国でも庶民が権力者をへこませて「してやったり」と思う、という感覚はもちろんありますが。でも、たとえばいまの長屋の噺でも、日本語なら「長屋」というだけで、いろいろなイメージがその中にあって、貧乏くさい感じがそれだけでプンプン漂ってくる。壁に釘を打ち込んだら、向こう側に抜けてしまう。それでも、「まあ、長屋だからね」と納得するわけです。これは、ほかの多くの国では壁に釘を打っただけで、隣に抜けるということは、どう考えても想像がつかないですね。だから、これは「長屋」を直訳して"long house"と言ったところで、何も通じないですね。そこが、やっぱり翻訳するときに難しいところのひとつですね。

志の輔 もっとも、日本ですら中学生の前でやるときには、「長屋」って言ったってわからない。「へっつい（竈）」と言ってもわからない。「かご屋」がせいぜいかもしれない。そうなると、わからないことばにさりげなく注釈を入れた台詞にしてやらないと親切じゃない。そうすると今度は、おじいちゃんおばあちゃんには長屋ということばは浮かぶけれど、テンポが早すぎてはついてこられない。日本人に向けての落語ですら、いろいろと大変な条件が出て

きた今だからこそ、一度英語で落語を見直してみたら、面白いことがわかるかもしれませんね。

> **カーネギーホールで、人情噺を
> やりたいと思っているんですよ**

志の輔 大胆にも言いますよ、実はできるものなら、いつかニューヨークはカーネギーホールで、人情噺をやりたいと思っているんですよ（笑）。アメリカ人が全員泣くという状態を作ってみたいなあって。先生に２年続けて「お菊の皿」と「時そば」と教えてもらって、滑稽噺はがんばれば、何とかできるかもしれない可能性は少しぐらいは見えてきたような。

大島 そうなんです。結構、滑稽噺は通じるところがありますね。

志の輔 バカの噺とか、酒の上のことの噺。男と女のもめごととか。これはいいわけだよね。情はどうなんでしょう。アメリカ人の情と日本人の情の違いみたいなものは。日本の古典落語で外国人が泣くということはないのかなあ。もしも、外国人が全員鼻をすすっている状態があったら、けっこう気持ちがいいかなあって（笑）。

大島 なるほどね。でも、私は人情噺は通じると思うんですけどね。私が、落語のいいところというのもおかしな話ですが、英語落語をやっているからこそ見えてくるよさというのが、ひとつありまして。やっぱり長年生き延びてきた芸だけあって、300年前の日本人

が「この噺、面白いな、いいな」と思った噺の中で、いま生きている私たちも、「いい噺だな、面白いな」と思う噺が生き延びてきているのが、古典だと思うのです。

　300年前、400年前の日本人は、私たちと比べると外国人並みに別の文化の持ち主だと思うのです。同じ日本人ですが、たぶん、ことばもなかなか通じないだろうし。そういう文化の違う日本人が、ずっと何百年も面白いと思ってきた噺だから、外国の人にとっても面白いと思える＜芯＞のようなものが、古典のすべての噺の中にはあるのでしょう。だからどこの国の人でも、「はあ、そうだよね」と共感できるものがあるのかなというふうに、英語でやっていると感じるのです。

会話だけで噺が作られているというのは、ほかの国にはない

志の輔　先生が英語に直して外国で上演している「動物園」とか「壺算」だとかは、外国人だって絶対わかるでしょうね。でも、大変なのは一人で何役もやるということは、すぐにはわからないでしょう。

大島　それはそうなんです。

志の輔　公演を始める前に、「落語ってこういうことなんですよ。いない人の分も、一人で何役もやるんですよ」ということを説明す

るんですか。

大島 そうですね。やっぱり、そこは言っておかないと、それこそ本当に登場人物がこうやって（顔を左右に振りながら）しゃべっているんだと言っておかないと、スタンダップ・コメディ（stand-up comedy）の感覚で見られる。スタンダップ・コメディはお客さんに話しかける芸ですから、お客さんはどんどん返事をしたり…。海外公演ですと、子どもがたくさん観に来るのですが、噺の途中にどんどん手を挙げて質問したりするんです（笑）。「すみません。それ、おかしくないですか」とか、「あの人、さっき、そういうふうに言っていた」とか、勝手に話しかけられると、どうしても話が進まない。

志の輔 面白い（笑）。子どもたちの反応のほうが合ってますね。

大島 そうなんです。正しいんですけどね。やっぱり会話だけで噺が作られているというのは、たぶん私が知っている限りでは、ほかの国にはないスタイルの芸なので、突然、噺を始めるのでは、お客さんはどうしていいかわからないというのはありますね。

志の輔 海外に行ったときにテレビの演芸ものなんかを見ていると、つまり、会話と会話を説明するときにも、全部自分のことばでしゃべってるように見えるんですよ。「きのう家へ遅く帰ったんだよ。そうしたら、うちのママが出てきてね。『どうして、こんな遅くなったの?』って言うんだよ。だからね、俺はね、ママに言ってやったんだよ。『子どもじゃねえよ、もう』って言ったらさ、ママがさあ…」という。この話の説明の部分を抜いたやつが落語だよ、ということを言う説明がいちばん早いのかな。

大島 ああ、そういうことですね。だから、師匠のおっしゃるように、たとえば外国にもともとあるジョークは、そういうふうにできているんですね。台詞があって、ナレーションがあって。

高座の大島さん

「うちのワイフがこう言うんだよ。『さっさと片付けなさいよ』。だから僕はこういうふうに言ってやったんだ」みたいな並びなわけです。このジョークをそのまま使って、「これを落語ふうにやるとこうなります」と言って、今度はそれを会話だけで作る。そうすると、やっぱり、そのオリジナルの台詞だけでは済まなくなりますよね。

志の輔　ああ、そういうことですか。

大島　でもたぶん、それでいいんだと思うんです。そうすることによって、落語になるわけですよと。向こうのジョークでは「うちのワイフが怒ってこういうふうに言うんだよ、さっさとしなさいよ」という言い方をするわけです。落語はそうではなくて、「さっさとしなさいよ！」（手を振り上げ、怒った顔をして声を荒げながら）と言えば、それで怒って言っているというところまでが含まれるという。

志の輔　そうか、ト書きを省けばいいだけではなくて、ト書きを省くためには、ト書きに書いてある感情を足して台詞にしないと。

大島　そうですね。

志の輔　「なんでそんな遅く帰ってきたんだって聞くんだよ」というわけだから、遅く帰ってきたことだけが伝わればいいわけで、怒って言っているのか、笑って言っているのか、泣いて言っているのか、それはト書きで「怒って言うんです」というところを足して台詞にしてるのが落語だ。

大島　そうですね。感情もそうですし、しぐさとかもそうですね。ジョークでは「腕を振り回しながら、こう言うんだよ」という場合、

落語では腕を振り回しながら言えばいい、というように。

志の輔 落語家がいまごろこんなことに気がつくなんて、これも英語のおかげだ（笑）。

大島 それが落語だと思うのです。だから師匠のおっしゃるようなやり方をやったら、ちょっと面白いかもしれないですね。向こうの人がみんな知っているような、棒読みのようなジョークを言って、「これを落語ふうに言うとこうなります」と言って演じる。

志の輔 そうそう。

大島 ではこういうやり方で、カーネギーホールでやってください（笑）。

> 英語は若い頃にきちんと体に入れておけばよかったと本当に思いますね

志の輔 それは飛びすぎ（笑）。ところでいまゴルフにはまっているんですが、ゴルフは50過ぎてから知り合っても十分だったんだと思うんだけど、英語は若いころにきちんと体に入れておけばよかったと本当に思いますね。

　サラリーマンのときも劇団のときも落語家の最初のころもずっと、英語がしゃべれたらいいのになあ、と思っていたのに。

大島 そうですか。

志の輔 でももう、いまからでは遅いもの。

大島 去年始めたじゃないですか。

志の輔 いやいや。どうやっても体には染みない。頭には一回入るけれど、しゃべったそばから抜けていくし、英語をやってると日本語の落語ができないし（笑）。だってやっぱり毎日繰り返しやるしかないわけでしょう？

大島 まあ、基本的にはそうですね。でも師匠、これは面白いのですよ。英語落語はこれで2席、頭に入れていただいていますよね。いちおうポロポロ抜けつつも、入ってはいると思うのです。この英語落語を頭に入れておいて繰り返し演じていると、たとえばどこか海外に行かれたりしたときに、その落語に出てくるような状況に外国で出くわしたときに、落語で使っていた台詞が、フッとよぎって出てくるのです。

志の輔 出てきませんよ。

大島 出てくるんだと思うんですよ。

志の輔 本当に？（笑）

大島 ですから、外国へ行ってパスタ屋か何かに行っていただいて、「このスープはカツオだしだね」なんて言いながら話したりして、これを繰り返すと、また進歩するという。

志の輔 ああ、「時そば」のあの台詞ですね。

大島 英語落語を高座の上だけでの英語落語で終わらせずに、せっかく覚えた台詞も英会話の台詞なので、少しずつ、日常生活に使っていただくといい。

PART 1 対談　英語落語は世界で通用するか

> **外国語がいちばん苦手なのは、日本人じゃなくて・・・**

志の輔 日本の場合は、第一外国語というと英語ですよね。

大島 ほとんどの人には、そうですね。

志の輔 よその国へ行くと、みんな第二外国語も、ひょっとすると第三外国語もペラペラしゃべってるんじゃないんですか。なんで日本人だけダメなんでしょう？

大島 一番の理由は、日本に住んでいて英語は必要ないということなんですよね。

志の輔 ほかの国だって母国語があれば、英語は基本的には必要ないでしょう。

大島 自分の国にいて英語が必要な国というのは、実は結構多いのです。同じアジアでも、たとえば、シンガポールなどは完全に英語がないと生きていかれないような国です。

志の輔 シンガポールというのは、母国語は何ですか。

大島 あそこは国の言葉ってないのです。あえていえば、国語のマレー語ですが…。中国人とインド人とマレー人とで、人種も文化もみなバラバラですから、何か言語で統一しなければといったときに、やっぱり意思の疎通は英語しかないのですね。英語がないと、そもそも自分の国でも不便だということです。ヨーロッパなんかも

そうですね。小さい国がたくさんありますから、どうしてもみんなの共通言語が必要になる。英語がやっぱり日常的に溢れているのです。テレビをつけても、すぐに英語ばかりのチャンネルや英語ばかりの番組などをやっているということです。面白そうだと思っても、英語がわからないと話がわからないですから、見たいと思えばだんだん染み込みますよね。日本では、英語がわからなくてもさほど不便じゃない。しゃべれなくても、死なないっていうか（笑）。

志の輔　だから、中学・高校とやっておけば、だいたいそれで、空港やどこかの表示を見て、「ああ、そうか。英語はそう書くな」というぐらいがわかればいいということなのかな。

大島　外国語がいちばん苦手なのは日本人じゃなくて、実は英語圏の人がいちばん外国語が苦手だと言われているんです。アメリカ人とかイギリス人とか。英語をもともと話せますから、どこの国へ

ブルネイ公演で聴衆にサインを求められる大島さん

行っても不便がないです。だから英語以外の外国語を話せるようにならない、とよく言われています。

志の輔　そうなんですか。安心したなあ（笑）。

大島　やっぱり日本人と同じで、必要がないですから、不便がないので、ほかの外国語がどうしても苦手になるという。こんなジョークがあるんですよ。「4か国語話せる人は？　そう、マルチリンガル (multilingual)。3か国語話せる人は？　そう、トリリンガル (trilingual)。2か国語話せる人は？　そう、バイリンガル (bilingual)。じゃあ1か国語しか話せないのは？　そう、アメリカ人！（本当はモノリンガル (monolingual)」。この「アメリカ人！」のところを「日本人！」に変えるといいですよね、私たち日本人が言うときは。

> "Watch your step." がどうしても、『ワキノシタ』って聞こえる

志の輔　「時そば」も「お菊の皿」も、もし全部よく似た日本語で覚えられたらいいなあ、って思うんですけど。

大島　よく似た日本語ですか。

志の輔　昔からよくある、"sightseeing" が「サイトウシングテン（斉藤寝具店）」とか。あの方法はまんざら冗談じゃなくて、意外と役に立ったりして。

　これは本当の話でね。飛行機に乗るときボーディングブリッジ

があって、機内まで行くじゃないですか。そうすると、会社によって"Please watch your step."と言っているところと、ただ"Watch your step."と言っているところがあるんですよ。その"Watch your step."というのが、女の外国人があまりに流暢に言うもんだから、どうしても、「ワキノシタ」って聞こえるんですよ（笑）。

大島 そうですかね（笑）。

志の輔 一度そう聞こえたら、もうダメですね。頭から離れない。何度聞いてもね。

　ひょっとするとアメリカ人に「ワキノシタ」って言うと、「サンキュー」っていう返事が返ってくるんじゃないかと思うぐらい、「ワキノシタ」と発音するほうが、正しい発音になるんじゃないですか。

大島 ありますよね、そういったこと。

志の輔 何か、そういうふうに覚える方法ってないですか。

大島 落語1席分全部？

志の輔 まあ、せめてポイントのところだけでも。

大島 そうすると、意味のつながらない日本語を覚えるという。それはそれで難しいんじゃないですか（笑）。

志の輔 言われればそうですね（笑）。でも、「時そば」の"Stop pulling my sleeve."？

大島 はい。"Stop pulling my sleeve."

志の輔 どうしても、「袖を引っ張るな」と言いたいわけだから、"stop"よりも"sleeve"が先に頭に浮かんで、口から出てしまうん

です。

大島　ああ、そうですか。嫌ですか、あの並びは。

志の輔　ダメ、無理。やっぱり、単語の順番が覚えられない。"Stop pulling my sleeve." というのが、わからない。

大島　そういうのが、せめて何か日本語チックな何かになればいいんですよね (笑)。

志の輔　そうそう。意味が違うのに覚えやすい日本語でとりあえず覚える。

大島　難しいことをおっしゃいますね (笑)。

> いまの日本の社会はこうなんですよ、ということを伝えるには、やはり新作だと思いますね

志の輔　外国でやる場合、古典落語は昔の日本が設定という点でかえって難しいのでは？

大島　それはそうですね。ですから、現代の日本がどういう状態なのかを知りたいということもあると思うので、そういう場合、いま日本の社会はこうなんですよ、こういうことが起きているんですよ、ということを伝えるには、やはり新作だと思いますね。

志の輔　そうですか、新作ね。

大島　新作も面白いと思います。

志の輔　新作で、誰かやった人いましたっけ？

大島 英語で、ですか。

志の輔 いまのところ…。

大島 私、「花嫁修業」(注2)っていう新作をやっていますが。

志の輔 あなたは、何者なんですか(笑)。大学の先生が「花嫁修業」とか、新作をやっております、それも英語で。すごいですね。で、日本の花嫁修業の文化が笑えるのですか、英語圏の人たちにとって。

大島 はい。花嫁修業で茶道をやっているという。いまの人はあまりやらないのですが、珍しくやっている女の子がいる。この子がいまどきの子で、正座もろくろくできないような娘が、親に言われて茶道に通うわけです。茶道の先生がいろいろ教えるんだけど、ことごとくうまくいかない。今度結婚するので、親に挨拶をしなければいけないというので、その挨拶の仕方を先生が教えるのですが、それが家に帰って同じようにやってみたら、うまくいかないという仕込噺のような噺で。その茶道の先生はもう50歳なんだけど、結局ずっと独身の先生で、花嫁修業をさせているといいつつ、実はあまり説得力のない先生だったりする…、というような噺を。

志の輔 日本の落語家としても十分生きていけますよ、あなたは(笑)。

大島 そんな噺も外国でもやりますけれど、いま日本の女の人でもなかなか結婚しない人もいるんだとか。男性に負けないくらいバリバリ仕事する女性、もしくは少子化でものすごい親バカな人の話な

PART 1 対談 英語落語は世界で通用するか

ど…。いまの日本社会を反映しますよね、新作落語って。やっぱり、日本人女性のイメージというのを外国の人はそれなりに持っていまして…、すごく従順なアジア女性というイメージをひっくり返すことができるわけです。「ああ、そうでもないんだな」とかね。そういったところが、やっぱり面白いですね。

> **わりとするっと翻訳している個所が、師匠にとって疑問で**

志の輔 「時そば」の中で最後のほうに出てくる場面で、一人二役をやっている馬鹿のほうの男が一人で盛り上がって、隣に誰もいないのに二人分をやるわけですが、そば屋が目の前でやっているその姿を見て、これ以上変な人と関わりたくない、と思わず発することばに「どうか私を許してください」というのがありますが、これは英語には置き換えられないんだと教えてもらいましたが。

どうしても日本語の直訳では、そのことばは通用しないというのは、かなりありますか。

大島 そうですね。師匠と一緒に英語と日本語を突き合わせて「時そば」なんかをやっているときも、私は自分の中でわりとするっと翻訳している個所が、師匠にとって疑問で、「こんな英語になっちゃっちゃ、もともとの日本語の雰囲気が伝わりにくいんじゃないかな」とおっしゃったことが何か所もあったのです。確かにそうな

撮影：橘 蓮二

んですが、ただことばが難しいだけではなくて、文化的な違いがあって、たとえば、「ちょっと、すいません」という「すいません」も。

志の輔 さすがに毎回"I'm sorry."じゃたまらない。何となくはわかるんですが、じゃあ、そのときは何て言ったらいいの？ "Hey."だけでいいの？

大島 まあ、場合によりますけれど、"Excuse me."に置き換えたり…。

志の輔 ああ、"Excuse me."ね。

大島 呼びかけるときの「すいません」は、"Excuse me."ですね。あとは、「ごめんなさい」と言うときも、よっぽど自分に非があると認める場合でない限りは"I'm sorry."は使わない。ただ、日本人はよく謝りますから、日本の噺だから、"I'm sorry."を連発してもいいのかなという気がするんですが、このへんのバランスがものすごく難しいところで…。日本の噺なので、外国の人が聞いていてちょっと違和感があったとしても、日本人だったらこういう

言い方をするんですよ、ということで突き進めるのか、違和感がないように噺の流れを重視して、英語らしい英語にしていくのかとか、そういったバランスは難しいですね。

志の輔 難しいでしょう、すごく。

大島 先ほどおっしゃったように、おそば屋さんの「もう許してください」っていう台詞ですが。

志の輔 「もう許してください」。そうそう。

大島 気持ちの悪い変な客が来て、「何を言っているんだろう？ もう許してください」という場面。「許してください」は英語で言うと"Forgive me."なんですけれど、実際の英語落語では使わなかったのです。そば屋が、ものすごく悪いことをしたように聞こえるのです。

志の輔 確かに、そば屋は悪いことはしていませんよね。

パキスタン公演での大島さん

大島 していませんけれど、日本語だったら、「もう勘弁してください。許してください」というのは、何となくわかるんですが、英語で、このお

かしな人が一人でやり取りしているのを見て、"Please forgive me." って言ったら、「え、そば屋が何をした?」って、たぶん聞いている人はそば屋が何か悪いことをしてしまったのかな、っていうふうに引っかかってしまうんですね。だから、ここでは "Forgive me." は使えない。結局、"Leave me alone now..."（もう私のことはほうっておいてください、つまり、勘弁してくださいの意味）にしました。

> 『よろしくお願いします』は、訳せないことばなんです

志の輔 なるほど。それから、あの話も教えてもらってよくわかりましたよ、ほら、まくらに使ったハイジャックの "That's convenient." というの。ハイジャックの最後に、「ロンドンに飛行機をやれ」と言って、「この飛行機はロンドン行きだ」ということになったあとで、日本語の私の最後の台詞は「よろしくお願いします」。つまり、ハイジャック犯が機長に、「これ、ロンドン行きなの？ じゃあ、よろしくお願いします」という台詞が素敵だなと。ところが "That's convenient." のほうがいいって直してもらいましたが、あの「便利だ」という意味のコンビニエントですかと聞いたら、「そうです。そいつは都合がいい、にしました」って。それじゃ、オチにならないでしょう、と言ったら、"Well, then let's go to Paris."

とかに、変えてくれたんですよね。

大島 そうです、そっちも面白いですよ。もう、行き先なんかどうでもよくなっちゃってるハイジャック犯というのも…。とにかく、「よろしくお願いします」ということばが、翻訳するときにいちばん嫌なことばなんです。「よろしくお願いします」、出た、また来たって思うのです。これは、訳せないことばなんです。

志の輔 え、日本人だけなの？ そんな言い方するのは？

大島 日本人だけですよね。よろしくお願いしますって、何かと出てくるんです。「じゃ、明日、よろしくお願いします」とか「それでは、今後ともよろしくお願いします」とかね。ほとんど意味のないことばなんです、よく考えると。「よろしくお願いします」 なんですが、さほど深い意味はないのです。

志の輔 ははあ。「よろしくお願いします」って、意味のないことばだったのか。

大島 そんなことはないんですけれど（笑）。あまり何でもないんです。分割して意味を探ろうと思うと、そんなにこれというものはないので。

志の輔 ただの「どうも」を長くしたぐらいの意味しかないってことですね。

大島 そうですね。いろいろな意味になり得るんですけれども。

志の輔 「どうも」も「よろしくお願いします」も、あまり変わらないってことか。

大島 そうなんですね。場合によっては、たとえば、"Thank you."に置き換えられるかもしれないですし。ただ、あの小咄の場合は、どうにもならない「よろしくお願いします」なんですね。どういう意味で言っているんでしょうね。「面倒を見てくださいね、安全運転で」みたいなことを言っているんですかね？

志の輔 そうでしょうね。

大島 英語の場合は、その「よろしくお願いします」という、それこそ便利なことばがないので、何か別のことばで豹変させなければいけない。そのときに「ロンドンへ行け！」「これはロンドン行きだ」「それは便利なことで」みたいな、「それは助かりまーす」みたいな。あるいは、「じゃあ、パリでも行きますか」みたいに変えるとか。そういうふうにするしかなかったのです。もしくは、もう最後のセリフはなくても、英語の場合、噺はオチるんです。「この飛行機はロンドン行きだ」で、もう外国のお客さんはドカンと笑います。日本の小咄は、最後の詰めのセリフがよくありますよね。英語だと、もうそこまで言わなくても、言う前にお客さんは笑い出しています。先を想像して笑う、というか。みなまで言わないほうがスカッとしてるし、聞いているほうも、それでわかるほうがかっこいい、というところがあるのでしょうね。

志の輔 言われてみれば、いままで観た外国映画の中にそういうシーンがあったような気がします。英語落語のオチの付け方の大きなポイントのひとつですね。

> **イスラム圏では無理ですね、古典落語は。酒とタバコと死後の世界と・・・**

志の輔 「お菊の皿」みたいな幽霊が出てくる噺は、パキスタンやインドはどうですか。

大島 インドはできます。イスラム圏が難しいのです。

志の輔 イスラム圏ではできない？ それは、死後の世界がないから？

大島 どうなんでしょう。「死んでもらっちゃ困る」とイスラム圏では最初から言われているのです。噺の途中で人が死んではダメなんです。

志の輔 人が死んでもいいんでしょう？ 死んだあとに、その人がそのあとに登場しなければ。

大島 私は思うんですが、日本人は死についてすごく大らかというか、けろっと「死んじゃった」という言い方をするんです。

志の輔 古典落語の中では、笑うとこだったりしますからね。

大島 死というものが、特にイスラム圏ではたぶんものすごく重いものとして受け止められている。ですから、噺の中で、誰かがぽっくり逝ってしまった、なんて言うと、お客さんはサーッと引くんですね。「死んじゃったの」って…。笑い話とはとても受け止められないという…。なので、お菊みたいに死んだところから噺がスタート

するというのは、笑う準備が心の中でできないわけです（笑）。これは笑いごとじゃないでしょうと思うわけです。お菊の噺は最初からお菊がザバッと切られていますから、あの噺はなかなかイスラム圏では…。イスラム圏はいろいろ縛りが厳しいので。

志の輔　酒もタバコも駄目なんでしょう？

大島　お酒もタバコも出てきちゃダメですね。

志の輔　イスラム圏では無理ですね、古典落語は（笑）。酒とタバコと死後の世界と。では、思い切って女郎買いは？（笑）

大島　難しいと思います。

志の輔　でしょうね。酒、女、博打がダメで、死後がダメだったら、落語での笑うポイントの半分以上はなくなりますね。

大島　ほとんどそうなんです。

志の輔　やっぱり、「動物園」と「壺算」しかない。

大島　そうなんです。「壺算」とか「動物園」とか。そういう邪気のない噺。だから、ケチ噺ぐらいになりますね。

志の輔　ケチ噺はウケますか。

大島　なぜかケチ噺はウケるのです。男女の噺なんて、もってのほかですから。

志の輔　男女の噺はもってのほか？

大島　だから、落語になっているもとが全部ダメなんです。

志の輔　笑いというのは、現実が辛いからこそ、芸能とか芸術を見て一瞬忘れたいがためのものでしょうに。

PART 1　対談　英語落語は世界で通用するか

大島 むしろそういうふうに思うんですけれど。ジョークとは、そういう立場のものだと思うのです。公に言えないからこそ、ジョークというオブラートに包んで言う。だから、ちょっと聞いた話によると、イスラム圏の人たちの間では、陰ではそういうジョークがたくさん飛び交っているらしいのです。ただ、「公の場、舞台とかテレビとかで堂々と言ってもらっちゃ困る」と国のほうで言うわけですね。

日本の放送やメディアにもある程度の規定がありますよね。「公にしてもらっちゃ困る。そのへんで言うのは勝手だけど」という…。そういうところだと思うのです。

志の輔 何だ、表向きだけ?

大島 だから、地元のみなさんも結構、陰ではジョークとして言っているのだと思います。だけど、日本からわざわざやってきて、そんな噺をしてもらっちゃ困るということだと思うのです。でも限られていても、できる噺があるということが落語のすごさです。これとこれならできるというのが、いくつかあるんですね。

> この小咄は日本では確実に
> ウケるんですけど・・・

志の輔 いままで行った外国で、いつも通訳の人に訳してもらいながら披露する小咄があって、題して「呪われた家族」。「夫婦に念

願の子どもが生まれました。ところがその子ども、3歳になるまで何もしゃべらないので、とても心配していたら、4歳の誕生日に「おばあちゃん」としゃべったので、よかった、と思っていたら、その翌日におばあちゃんが死んじゃって。5歳の誕生日に「おじいちゃん」って言ったら、その翌日おじいちゃんが死んじゃって。6つの誕生日に何て言うんだろうと思ったら「お父さん」って言ったので、お父さんが「ああ、俺は明日死ぬんだ」と思って翌日になったら、斜め向かいの八百屋の源さんが死んだ」という小咄なのです。

この小咄は日本では確実にウケるんですけど、一度南米の国のパーティで通訳を介してやったんですが、会場はそれなりに笑ってくれた後、主催者だけの食事のときに、誰かが私に「さっきの話ですけど、それで、犯人は誰なんですか」と。

大島 犯人ですか（笑）。

志の輔 お父さんが死んじゃった、その犯人って言われても（笑）。ほかの国でやったときは「その翌年はお母さんが死んだんですか」とか聞かれちゃって（笑）。うっかり聞いてたり、通訳してもらってるうちに主題が違ってきたり、とにかく面白い。きっとイスラム圏でこの

撮影：中嶌 英雄

PART 1　対談　英語落語は世界で通用するか

噺をしていたら、まず誰も聞いていないですよね。聞くどころか、「やめてくれ」っていうことですよね。おじいちゃんが死んで、おばあちゃんが死んで、さあ、その次は誰が死ぬかと思っていたら、なんていう話はやめてくれって。

大島 出入り禁止になりますね。

志の輔 でも、これからもいろんな国でやってみよう（笑）。

> **嫁姑の仲が悪くないっていう国があるんです**

大島 そうですね（笑）。いまの話と似たような話なんですが、国によって、小咄などでも反応が全然違うのです。私がよくやる噺で葬式小咄というのがあって。

志の輔 イスラム圏ではできないんじゃないですか。

大島 そうですね。葬式は死んでからスタートですからね。でも、これを去年パキスタンでやったんです。

志の輔 えっ？

大島 もう、やってしまえと思って。

志の輔 そうしたら？

大島 これが案外ウケたのです。これは死んだということがあまりメインではないのですが、あるところでお葬式をやっていまして、すごい参列者の行列があって、それを見ていた女性が「誰のお葬

式だろう。こんなに人がいて…」と不思議に思い、喪主の人に「すみません、誰のお葬式ですか」と言ったら、喪主は女性なんですが、「これは、私の義理の母です。義理の母が死にましてね。それというのも、私の飼っているこの犬が義理の母を食い殺したのです」と言うのです。「それはかわいそうに。でも、義理のお母さんはよっぽど素晴らしい人だったんですね。これだけの参列者が来て。素晴らしいですね」なんて言いながら、「ところで、お宅のその犬、2、3日貸してもらえませんか」（笑）。「じゃあ、あなたも並んでください」っていう噺なのです。

志の輔 面白い（笑）。で、この噺の反応も国によって違いますか。

大島 そうですね。たとえば、嫁姑の仲が悪くない国ってあるんです。別に仲が悪くないというのです。これは日本だから嫁姑ですよね。

志の輔 この噺はもともと日本の小咄ですか。

大島 どこの噺でしょうね。どこかの国でこんなような話を聞いて、もともとの話は忘れてしまったんですが、それを私が作り変えているうちにこんな小咄になってしまったのです。アメリカなどは、嫁姑が仲が悪いということはあまりないのです。仲が悪いのは、旦那さんと奥さんのお母さんということがほとんどです。

志の輔 アメリカでは？

大島 そうです。ちょうど逆になるのです。だから、この噺をこのままにしても、わりとポケーッとしてしまうのです。これは、たぶん

結婚したときにどちらの家にどちらが入るかということに関わっていると思うのですが、アメリカは結婚すると奥さんの実家で暮らすことがわりと多いのです。女の人も働いていますから。だから、たぶん旦那とお姑さんが仲が悪いんですね。自分の親じゃないほうの近くに住んだり、一緒に住んだりするので。

志の輔　逆なんだ。

大島　パキスタンのときは女の人でよかったのです。女の人はやたらに笑いました。男の人は渋い顔をしていたりして。そんなようなことがあって、その国の家庭の事情によって、これなどは男女を代えるだけでいいんですが、登場人物などを代えるとうまくいったりするのです。

　もう、どこの国でも「これは絶対」という話は、もしかしたら、ないのかもしれないですね、事情によって…。

> お金噺とバカ噺。この2つは、たぶん世界共通・・・

志の輔　はっきりしているのは、だじゃれの小咄は絶対に通じないでしょう。ことば合わせが絶対に通じないでしょう。じゃあ、バカの噺は？　バカの噺は大丈夫でしょう？

大島　おかげさまで（笑）。ありがたいことに。

志の輔　バカということばが存在しない国はないでしょう？

大島 ないと思いますね。バカの話と、やっぱりケチですね。ケチ話がどこで受けるというのを目の当たりにすると、ほっとし

ブルネイ公演での大島さん

ますね。みんなケチなんだなって。「時そば」の噺など、たった1円ちょろまかしただけなのに、お客さんがみんな、「してやったり」と思うというのは、やっぱりみんなケチなんだなと。共感できますよね。

志の輔 ケチというより、お金噺はわかりやすいんですね。じゃ「壺算」もそうでしょう?

大島 「壺算」もそうですね。

志の輔 お金噺とバカ噺。この2つは、たぶん世界共通ということで、幽霊の噺は国によりけり。

大島 そうですね。足がないというのは通じないんです。日本語だと「お菊、足がない!本物だ!」となるのですが。英語だと「どういうこと?」となるんです。足がないとは限らないのです、外国の幽霊は。なので、足がないから本物、ということの意味が全くわからない。

志の輔 幽霊とゴーストは違うもんね。

大島 そういうことなんですね。ちょっと違う。なので、「お

PART 1 対談 英語落語は世界で通用するか

菊」は、国を選ぶ噺なんです。

> やっぱり、外国の人は、参加したくてウズウズしているんですね

志の輔 もうひとつ大事な質問なんですが、わたしはヒアリングというのが全くダメなんですが、これは、何か人間的に欠陥なんでしょうか（笑）。

大島 英語のヒアリングですか。

志の輔 相手が言ってることが、全く単語に聞こえてこないんです。

大島 英語落語をしゃべるのに、ヒアリングは必要ないんじゃないですか。

志の輔 そう、しゃべるのにはね。だけど。

大島 聞きたい。

志の輔 たとえば、もし英語で落語をやっている途中で、外国人が「面白くないぞ」って言ったとして、何かそのときのために、「がまんしろ、お前だけじゃない」とか（笑）。何か、言い返したいじゃないですか。でも、何を言っているかわからなかったら、うっかり「サンキュー」って言ってしまうかもしれないから（笑）。

大島 それは、そうですね。やっぱり、外国でやる場合、外国の人って参加したくてウズウズしているんですね。日本のお客さんとちょっと違いますから、スタンダップ・コメディの場合は、いろい

ろな質問を投げかけて、どんどん答えてやり取りしたり…。参加することに慣れているので、参加させないとうるさいというところが、ちょっとあるんですよね。

志の輔 そんなバカな。落語に参加されても困るなあ（笑）。

大島 だから、私は「お菊の皿」をやるとき、ちょっと演出するんです。師匠の「お菊の皿」でも、後半いろいろな演出をされていますよね。お菊がだんだん調子に乗って、きらびやかになっていく…。私はそこの演出で、手拍子させるというのを必ずやるのです。お菊がスーッと出てきて、「みなさん、どうもいらっしゃいませ。きょうは新しい着物を仕立てたんですよ」なんて言いながら、「きょうもさっそく数えさせていただきます。それでは、みなさん、お手を拝借。1枚、2枚」ってやると、お客さんもワーッと「1枚、2枚」。それで、グッと納得するんです。「ああ、参加した」みたいな（笑）。「ああ、きょうも落語に参加した」という感じで。

志の輔 わあー、新しい演出（笑）。

大島 すっきりするらしいのです。しゃべらせたら大

撮影：中嶋 英雄

変ですから、この手拍子をやらせるとか。動かしておくと満足する。

志の輔　落ち着きのない人種だ（笑）。

大島　だから、参加したいのは確かなんですよね。なので、おっしゃるように落語の途中で質問してきたりとか。「どうしたんだ、どうしたんだ」とか「お前は何を言っているんだ？」とか言ってくるんです。それをうまく取り込んで返せたら、面白いですね。

志の輔　でしょう？　だから、そこまでできて初めて英語で落語をやってるってことなんじゃないかと思うんです。棒読みでやって、atかinか、どっちかわからないのにニューヨークに行ってもしょうがないような気がするので。夢半ばにして、どういうふうに挫折するのか、どういうふうに成就するのか、わからないけれど、少なくとも日本語の落語を英語に置き換えてみて演るということの楽しさは少しわかったし、違うことばで笑わせる大変さもわかったような気がします。

　英語の落語を始めて、逆にいままで何も疑問にも思わなかった古典落語が、もっとよくわかるのです。だから、本当はこの対談も英語を勉強している人は

もちろん、落語家も聞いてほしいですね。当たり前だと思ってやってきた落語という芸が、実は「アメリカ人には一人で二役やっているということがわからないんだよ」と言われたときに、何か新しい発見があるんじゃないかなって。

大島 そうですか、よかったです。

> 落語を見つめなおすためにも、
> 英語というツールは役に立つね

大島 何かひとつのものにドップリ浸かっていると、それがよくわかるようで、案外見えないということがいっぱいあるというふうに感じますね。日本にずっと住んでいると日本のよさが見えなくなってくる。外国に行くと、つくづく日本の電車ってすごいな、1分違わずに、ちゃんと時間どおりに来るとか、日本のよさをひしひしと感じますね。アメリカの片田舎で高校生だったころ、来るはずのバスを1時間も待ったりすると、日本だったらこんなことあり得ないと思ったりなんかする。日本にドップリ浸かっていると、日本のことが見えない。だから、落語ももしかしたら、そうかもしれないですね。

志の輔 私は落語家になって25年経っただけで、はや落語の環境も位置も違ってきている。そのうえパソコンやインターネットの存在も当たり前になった今、弟子たちがやっていく落語もきっと変化を求められていくでしょうから、落語を見つめなおすためにも、英

語というツールは役に立つね、きっと。でも、私はちょっともう遅かったね。

大島 そんな、あきらめたようなことを。英語落語がこれからというときじゃないですか。

志の輔 「50過ぎてからやっているんだから、俺たちも」と弟子たちが思ってくれればね。

大島 そうですね、師匠がやっていますからね。この英語落語をやるということは、日本の落語を理解するという意味でも意義はあると思うのですけれど、日本人は真面目で笑わないというイメージがすごく強いので、そうじゃない、日本人もとっつきやすい人たちなんだよ、というのを外国の人にもわかってもらえると思うのです。

　私は20か国ぐらいで英語落語の公演をしてきましたが、もともと日本人に興味のない国とか、親日派でも何でもない人たちもたくさんいるんです。そういう人たちの前で、日本人である私たちが少し面白おかしい噺をやって、「笑ってくれていいんです。笑っちゃって、どうぞ」と話をする。そして、その会場にいる私と見たことも会ったこともない外国の人たちと、ワーッ

タイ公演の旅先で

と一緒に笑うという、この環境がすごく平和な感じがするんです。平和を生んでいるという感覚を、ここ何年かで感じています。

　人間って自分を笑わせてくれる人に敵意を持たないというか、仲間になったような気になりますよね。そうすると、社会情勢の不安定な国もいろいろありますが、フィリピンなんかに行ったときもそうです。ワーッと一緒に笑うことによって、「私はこの人たちと長い目で見て、争いたくないな。せっかくこんなに楽しく、仲よくやっているのに」というような感情がお互いに生まれてくる。大きなことを言えば、英語落語で世界平和みたいなことを目指しているのです。

志の輔　壮大な話になってきた（笑）。

大島　そんな活動だと思っていただければ、もうちょっと師匠のお弟子さんたちなんかが、「じゃあ、ちょっとそんなことでやってみるかな」と思ったりするかもしれませんね。

志の輔　ぜひ新しい形のテロ特措法で、ガソリンの給油じゃなくて、笑いの給油を世界中にするために、私の弟子は全員英語を必須科目としましょう（笑）。

大島　大変なことになってしまいましたね（笑）。

> **考えて、練って、練って作らないと、やっぱり大したものにはならない**

志の輔　英語は、やっておいて絶対に後悔しないと思いますよ。

大島　1個ぐらい、覚えておいてもね。

志の輔　圧倒的に記憶力が違いますからね、私とは。

大島　そうですね。

志の輔　日本語で落語をやるのは当たり前だと思ってると、かえって日本語を大切にしてないんですよ。ふだんしゃべっていることばでしょう。「どうも、ようこそいらっしゃいました。お付き合いをいただきたいと思うんでございますが」と、別に何も考えなくたって出てくるわけじゃないですか。それも、ましてや覚えて、何十遍となく繰り返しやっていることだから、緊張感も感動もだんだんなくなる。

大島　そうですね。日本語でも英語でも、その言語を知っていると思うと単語の一つひとつの意味とか、あまり考えないで使ってしまいますものね。それは確かにそうですね。私がいちばん初めに英語落語を始めたときの英語落語がひどかったのは、そういうことなのです。バカみたいな話ですが、英語はわかっているというような気持ちがあったので、全然ダメだったんですね。本当に一つひとつのことばを考えて、なぜこのことばをこういうふうにしたいのか。なぜ、この台詞をこういうふうに変えたいのかをきちんと考えて、練って、練って作らないと、やっぱり大したものにはならないと思うのです。

志の輔　そうなんです。英語を学んで、日本語を、日本を学び直すという、落語家はことばの専門家なんですから。

> 私はいろいろなオチを
> いろいろなところで試して
> いるんですが

大島 そういうことですよね。私、「権助魚」をやるんですが、後半、権助がお魚を買って帰る。その魚っていうのが、すごく苦労したところなんですけれど、かまぼこを買うんですよね。かまぼこを買って、そのかまぼこが板に付いていて、泳ぎの下手な魚がぺちゃくり、どうしようもないんです。あれは英語にしようと思ったら…。

志の輔 どうしました?

大島 考えて、考えて。あんなにかまぼこのことを考えたことはないですね（笑）。かまぼこ、かまぼこ。どうするかな。何を買えばいいんだろう。かまぼこを説明しなければいけない。板にぴったりくっ付いている、この形状を説明しなければいけない。いろいろやって、これは結局無理で、刺身に代えたのです。

志の輔 刺身は世界中にあるんだ?

大島 刺身だったら、世界中に通じるということで、形状も想像つきますし…。切ったまぐろの刺身が何枚かくっ付いて、「みんな離れちゃなんねえぞ。くっ付いていないと溺れちまうぞ」と。それにしたら、通じます。

志の輔 翻訳するときにいろいろ考えるのは楽しいでしょうね。たとえば魚にしなければいいと考え、じゃあ、権助が魚屋へ行かな

いで八百屋に行ったことにしよう。八百屋に行って、八百屋で買ってきたものを奥様に見せる。あれ、ちょっと待てよ。何で野菜を買って帰らなければならないんだ。そうか。旦那が釣りに行って、獲れたものを家に届けているんだから、旦那が女のところへ会いに行くのに、畑へ行って野菜を採りにいったというのは設定上無理があるのか、なんてね。

大島　そうですね。「じゃあ、権助。帰って、奥さまに『畑へ行って野菜をいくつか採ってきました。旦那さまはそのままお帰りになりません』と言っておけ。帰りに八百屋へ寄って行け」「わかりました」と言って、八百屋へ行ったとして、そうしたら、権助は「何を買うべえかな」って言って、八百屋で何を買ったら面白いんでしょうね。

志の輔　そうだね。難しくなってきたね。魚屋だから、かまぼこがあり、たこがあり。

大島　川釣りでは釣れないようなものばっかり買って帰るわけです。山育ちで田舎者だからというようなことで。

志の輔　だって、オチの「関東一円じゃ獲れないんだよ」っていうオチも変えなきゃ。

大島　それ、使えないんです。

志の輔　そうか、使えないんだ。アメリカじゃ（笑）。

大島　だから、これもオチを変えています。地口落ちの話は、もうことごとく変わっています。私はいろいろなオチをいろいろなとこ

ろで試しているんですが。

志の輔 あなたは落語家よりも、素晴らしい精進をしているね(笑)。

大島 いろいろなオチを考えざるを得ないです。これは、師匠のおっしゃるように日本語でやっているんだったら、何の迷いもなくそのオチです。でも、英語でやる限りは自分で考えなければいけないので、いろいろなオチを考えて、あちこちでいろいろなオチでやってみて、これならいけるかなというものを絞るわけです。いまのところ、いちばん落ち着いているのは、奥様が「こんな話をするのに旦那様にいくら貰ったんだい。見せてごらん」と言ったら、まず1円渡すんです。「1円なわけないだろう？　私が1円あげているんだから」。権助は仕方なしに2円出すんです。「2円貰ったのね。そんなところでしょうよ」と言われたら、権助が「奥様、ごめんなさい。明日必ず旦那様のおなごの家を突き止めますから…、3円で」と手を出す、というのがいまいちばん落ち着いているオチなんです。

志の輔 なるほど。

> 英語に置き換えてやろうといったら、噺をいちど分解して…

大島　「壺算」の英語版を先日お渡ししましたけれど、あれも、もうむちゃくちゃに違うオチを。

志の輔　英語に置き換えてやろうといったら、置き換えるだけじゃ

なくて、噺を一度分解して、この噺はなぜ面白いのかのところまでいくのが、もうひとつの楽しみだ。

　今回、「時そば」の私の英語落語をおまけでCDに付けよう。本当に付けるのかどうかわからないけれど（笑）。

大島　付けましょうよ。

志の輔　「時そば」は特に、一人の人間が二役をやりながら、盛り上がっている様、それを見るそば屋のあきれた顔、この3人の表情は、音だけではどっちが誰だかわからなくなりますね。やっぱり、ライブ録音じゃなきゃ駄目だなと。でも、いまさら覚え直せないので、きょうの録音で、よしとしましょう（笑）。こんな発音でも人前でやれるのか、と聴いた人たちの自信につながるだけのCDということで（笑）。

大島　師匠、来年はどんなネタを。いまのうちにここで宣言してしまったほうが、逃げ場がなくなる。

志の輔　ダメ、ダメ。とにかく英語は絶対にやっておいたほうがいい、でも私はもう駄目（笑）。

大島　今後も続けていただくということで、よろし

撮影：橘　蓮二

いでしょうか。いちおう、そこだけは記録として残しておきたいなと思って(笑)。

志の輔　いやだー、もう。

大島　去年もそうおっしゃって、やっているんですよ、2年目も。

志の輔　でも「壺算」はがんばって覚えてみるかな(笑)。

大島　その次ぐらいに、人情噺をやってみますか。人情噺は英語でやった人がいないので。

志の輔　それこそ、外国人を1席目で爆笑させて、それから泣かせて…。

大島　そうですね。それでいきましょう。きょうはどうもありがとうございました。

志の輔　サンキュー・ベリー・マッチ(笑)。

(この対談は2007年11月に行われたものです)

注1：2004年より毎年7月に開催されている、東西の落語家が集まる落語の大祭典。「六人の会」主催によるもので、数日にわたって、あらゆるジャンルの落語が楽しめる。英語落語会は大島希巳江の会で、毎年新ネタを披露している。毎回ゲストを迎えており、立川志の輔はこの英語落語会のゲストとして2006年、2007年続けて出演している。

注2：「英語落語 Rakugo in English」(ビクターエンタテインメント、2005年) DVDおよびCDに収録。

PART 2
これが英語落語だ!

(CD収録)

CD Track 1
「時そば」
Time Noodles

CD Track 2
「権助魚」
Gonsuke's Fish

CD Track 3
「お菊の皿」
Okiku's Plates

Time Noodles

Welcome to English Rakugo. My name is Tatekawa Shinosuke.

Last year was my first time to perform English Rakugo. It was very difficult. I had a hard time. I thought I never want to do it. But here I am, trying again. Why am I so stupid? But I'm not the only one. There are many stupid people in this world.

For example: "Doctor, doctor, every time I drink coffee, my right eye hurts. What's wrong with me?" "OK, let me see how you drink your coffee here. Oh, oh, I see. You should get the spoon out of the coffee cup when you drink it."

Another example: "Hey, waiter. Hey, waiter." "Yes, sir." "This fried shrimp doesn't taste as good as the one I ate two weeks ago." "That's strange. They came in on the same day."

Another example: "Hey, pilot, this airplane has been hijacked. Fly to London now." "Don't be stupid. Don't be stupid." "Shut up. Can you see this gun? You do what I say. Go to London now." "Don't be stupid. Don't be stupid. This flight is for London." "I see. That's convenient."

時そば
とき

英語落語へようこそお越しくださいました。立川志の輔と申します。

去年、初めて英語落語を演りました。それはそれは大変でした。もう二度とやりたくないと思いましたが、またやってしまっています。どうして私はこんなに馬鹿なんでしょう? でも私だけじゃありません。世の中には馬鹿な人がたくさんいるものです。

例えば・・・「先生、診てください。コーヒー飲むたびに右目が痛いんですよ。私どうしちゃったんでしょう?」「どれどれ、どんなふうに飲むのかここで見せてください。ああ、わかりました。コーヒーを飲むときには、スプーンはカップから取り出してください」

もうひとつ・・・「おい、ウエイター、ウエイター」「何でしょう? お客様」「このエビフライだが、2週間前に食べたのに比べて、味が落ちるね」「変ですね、同じ日に仕入れたのに」

それではもうひとつ・・・「おい、パイロット、この飛行機をハイジャックした。ロンドンへ行け」「馬鹿な真似はよせ」「うるせえ、この拳銃が目に入らないか。言うとおりにしろ。この飛行機をロンドンにやれ」「馬鹿いうな。この飛行機はロンドン行きだ」「なるほど、そいつは都合がいい」

I like these lovable stupid people. Now, here comes today's most stupid man.

Man A: Hey, I'm hungry. I'm hungry.
Man B: Yes, me too.
A: I want some soba noodles or something.
B: You are so stupid. Only people with money can say things like that. If you are broke, you keep your mouth shut.
A: But, but, I have a little money.
B: Really? How much do you have?
A: Eight yen.
B: What?
A: Eight yen.
B: Eight yen? You think eight yen is money? That's nothing. It's trash.
A: Don't say that. That's such a waste. What about you? How much do you have?
B: Hm? I have seven yen.
A: What!? Seven yen? Is seven yen bigger than eight yen? What? Is eight yen bigger than...?
B: Why do you have to think? Well, anyway, together will be fifteen yen. I guess we can have a bowl of soba noodles.

私は、こういう愛すべき馬鹿が、大好きなんです。それでは、いよいよ本日の、メインの馬鹿の登場でございます。

男A　兄貴、腹減ったなあ。腹減ったよお。
男B　ああ、減ったなあ。
A　そばでも食いたいなあ。
B　馬鹿。そんなのは、金を持っている奴の台詞だ。金がないならだまってろ。
A　でもさ、少しはあるよ。
B　少し？ほうーっ、いくらあるんだ？
A　8円。
B　何？
A　8円。
B　8円？お前ね、8円なんてものが金だと思っているのか？そんなものなんでもない。ゴミみたいなもんだ。
A　そんなこと言うなよ。もったいない。じゃ兄貴はどうなんだい？いくら持ってるんだい？
B　えっ？俺は7円だ。
A　えっ？7円？兄貴、7円て8円より多いの？え？8円のほうが・・・？
B　考えなきゃわかんねえのか。そうか、二人合わせて、15円か。そば一杯なら、食えるな。

A: What are you talking about? One bowl of soba is sixteen yen. Fifteen yen is one less than sixteen yen, isn't it? We don't have enough money.

B: I know, I know. But if you use your brain, fifteen yen is enough. Follow me.

Noodle man: So-----ba-----u-----.

B: Hey, excuse me! Noodle man, excuse me!

NM: Yes, sir.

B: I would like a bowl of soba.

NM: All right. Ah, how about your friend? Would he like a bowl too?

B: What? Him? Ah, no, no, no, no. It's OK. Look, he doesn't look like he eats soba, does he?

A: Hey, hey, hey, hey, hey, brother. I want to eat some soba, too.

B: Oh, I know, I know, I know. We'll share. Shut up.

NM: Ah, here you go, sir.

B: Oh, is it ready already? You are so quick. That's great. Hmm, this smells good. Fu---. Fu---. (*Drinks*) This is good soup. You use fish broth, (don't you?) I know, I know. Fu---. Fu---. (*Eats*) The noodles are so thin. That's good. Fu---. Fu---. (*Eats*) This is delicious! Fu---. Fu---. (*Eats*) Oh, this is

A　兄貴、何言ってるんだよ。そばは一杯16円と決まってるんだよ。15円て、16円より1円少ないんじゃないか。足りないよ。

B　わかってるよ。だけど、頭は使いよう、15円で十分だ。ついてきな。

そば屋　そーーーばーーーうーーー。

B　おおい、そば屋さん、そば屋さん。

そば屋　へい、お呼びでございますか。

B　ん、そば一杯もらおうか。

そば屋　へい、ありがとうございます。あのう、そちら様は？おそばでよろしいんですか。

B　えっ？ああ、こいつ？こいつはいらないよ。そば食うような顔じゃないだろう？

A　おい、おい、おい、兄貴、俺も食べる。

B　わかってるよ。一杯を二人で分けて食べるんだ。黙ってろよ。

そば屋　お待ちどうさまでした。

B　おお、もうできたのかい。早いね。うれしいや。いいにおいだ。ふううふうう（つゆを飲む）、いいダシだ。かつぶし奢ったね。わかるんだよ。ふうふう（食べる）そばが細いや。いいねえ。ふうふうふう（食べる）うまいなあ。ふうふう（食べる）これはうまいや。おい、おい、おい、わかったよ。やめろ。袖を引っ張るなってえの。袖を引っ

great. Hey, hey, hey, hey, OK. Don't! Don't pull my sleeve. Don't pull my sleeve. Don't let me spill the soup! OK, OK. I'll leave your share. Fu---. Fu---. (*Eats*) Ah, OK. Stop pulling my sleeve. Stop pulling my sleeve. Look, the Noodle man is laughing... Wait a minute. Fu---. Fu---. (*Eats*) Stop pulling my sleeve. Oh, OK, OK, OK, OK, alright, alright, alright. Here is the rest if you want.

A: Yes. Of course I'll eat! I paid eight yen! That's more than what you are paying. Oh! Oh, You ate so much... What is this!?

B: It's soba!

A: This is my share?

B: Yes.

A: This is eight yen worth of soba?

B: What's wrong with that?

A: There are only three soba noodles.

B: But there is a lot of soup.

A: I don't want soup. Soup is soup. It's not soba! Oh, no! This is eight yen worth of soba...

B: Just eat it.

A: Eat this? There is not much to eat...only three soba noodles. Chuu---pon. Chuu---pon. Chuu---pon.

張るなってえの。こぼれるじゃネエか。わかった、わかったよ、お前の分は、残しておいてやるから。ふうふう（食べる）、もうわかったよ。引っ張るなって。引っ張るなって。ほら、そば屋が笑ってるよ。待てって。ふう、ふう、ふう（食べる）。引っ張るなって言うの。わかったよ。うるせえな、ほら残してやったから、食いたかったら食え。

A　食うよ食うよ。だって、俺は8円出してるんだ、兄貴より多く出してるんだ。わあ！まったく、ずいぶん食べたな・・・何これ？

B　そばだよ！
A　これが俺の分か。
B　そうよ。
A　これが8円分のそばか。
B　どうかしたか。
A　どうかしたかって、そばが3本しかない。
B　つゆは一杯あるだろう？
A　つゆなんかいらないよ。つゆはつゆだろう。そばじゃないだろ。あーーあ！ これが8円分のそば・・・。
B　ぐずぐず言わずに食べろよ。
A　食べろって、こんなのは食べるって言わないよ、だって3本しかない。チューポン、チューポン、チューーーポン。

B: Are you done?

A: I'm done.

B: Say *Gochisosama*.

A: *Gochisosama*.

B: OK, mister. Mister, here is your bowl.

NM: Ah, thank you. Would you like another bowl?

B: No thank you. Maybe next time. How much is it?

NM: Sixteen yen.

B: I have small change. Can you give me your hand?

NM: Yes, sure.

B: Are you ready? One, two, three, four, five, six, seven, eight. What time is it now?

NM: Ah, it's nine.

B: Ten, eleven, twelve, thirteen, fourteen, fifteen, sixteen. OK.

NM: Thank you very much.

B: OK, let's go!

A: Hey, hey, hey, hey, hey, brother, hey! You are an awful man.

B: Why?

A: Because you lied to me. You said, you only have seven yen, but you actually had eight yen.

B: You are not serious, are you? I only paid fifteen yen.

A: No, no, no, no, no. I was watching. You paid fourteen,

B　終わったか。

A　終わったよ。

B　ごちそうさまは？

A　ごちそうさま。

B　ようし、おやじさん、どんぶり、ここに置くよ。

そば屋　はい、ありがとうございます。もう一杯いかがですか。

B　いや、また今度にするよ。いくらだい？

そば屋　16円でございます。

B　お金が細かいんでな、手を出してくれ。

そば屋　はい。

B　いいかい？いくよ。ひい、ふう、みい、よお、いつ、むう、なな、やあ、いま何時だい？

そば屋　はあ、確か九つで。

B　10、11、12、13、14、15、16。いいね、じゃあな。

そば屋　どうもありがとうございます。

B　さあ、行こう。

A　おいおいおい、ひどいな兄貴。それはないよ。

B　何でだよ？

A　だって兄貴、うそついてさ。7円しか持ってないなんて言ってて、ちゃんと8円、持ってたんじゃねえか。

B　本気で言ってるのか、お前？俺は、15円しか払ってないよ。

A　またまたまた。ちゃんと見てたんだ。14、15、16円って払っ

fifteen and sixteen.

B: I only paid fifteen yen. Were you not listening to me? I skipped one.

A: You skipped?

B: Don't you get it? Remember what I said when I paid the money. One, two, three, four, five, six, seven, eight, what time is it now? It's nine. Then, ten. See? I skipped one yen here.

A: You skipped one yen? Wait, wait, wait, wait a minute. One, two, three, four, five, six, seven, eight, what time is it now? It's nine. Then, ten??? It's ten? But this doesn't look like ten. I'm missing a thumb.

B: Because I told you I skipped one yen.

A: One yen... Oh! So the noodle man said nine, but he did not take a coin!

B: That's right.

A: Ha ha ha, the noodle man is so stupid!

B: Yes, and you too. Now let's go home.

A: Wow! I want to try the same thing!

B: No, don't.

A: Why not!? You could do it. I can do it! I'll try!

So this man gathered some small change and went out look-

たじゃないか。

B　１５円しか払ってないよ。聞いてなかったのか。１円飛ばしたんだよ。

A　１円飛ばした？

B　わからないのか。俺が金払うとき、何て言ったか思い出してみな？「ひい、ふう、みい、よお、いつ、むう、なな、やあ、いま何時だい？」「ここのつで」「とお」と、ここで１円進んでるのがわからないか。

A　進んでる？ちょっと待ってね、ひい、ふう、みい、よお、いつ、むう、なな、やあ、いま何時だい？九つで、とお。あれ、十？これは、とおじゃない。親指がないぞ。

B　だから言ったろ、１円飛んでるからだよ。

A　１円…そうか！じゃ、そば屋は九つって自分で言っただけで、お金もらってないんだ。

B　そうだよ。

A　はははは、そば屋は馬鹿だ。

B　お前も馬鹿だよ。わかったら帰ろう。

A　わぁー！俺もやってみたい。

B　やめときな。

A　何でだい？兄貴ができたんだから、俺にもできるよ。

とよせばいいのに、わざわざ細かいお金を借りてきて、あくる日、

ing for another soba noodle shop the next day.

A: Mr. Noodle man! Mr. Noodle man! Hey, Mr. Noodle man, I'm talking to you!

NM: Oh, I'm sorry. Did you call me?

A: Yes, I called you. I almost lost my voice. I would like a bowl of soba noodles.

NM: Yes, thank you.

A: Hey, hey, I want you to ask me, "How about your friend? Would he like a bowl too?"

NM: Ah, what did you say?

A: Ah, say, "How about your friend? Would he like a bowl too?"

NM: Where is your friend?

A: Ah, him.

NM: What?

A: This man.

NM: This man?

A: Just say it, quick!

NM: OK, OK, OK. How about your friend? Would he like a bowl too?

A: No, it's OK. He doesn't need it. Look, he doesn't look like

ひとりで家を飛び出しそば屋を探します。

A そば屋さーん、おうい、そば屋さーん、そば屋さーん呼んでるじゃねえか。

そば屋 あああ、お呼びでございますか。

A お呼びでございますかじゃないよ。声が枯れるほど呼んだよ。そば一杯もらおうかな。

そば屋 はい、ありがとうございます。

A あのさ、そちらさまも、おそばよろしいんですか、って言ってほしいな。

そば屋 え、何です？

A そちらさまもおそばよろしいんですか、って言ってほしいな。

そば屋 そちらさまって、どちらさまで？

A こいつ。

そば屋 えっ？

A こいつだよ。

そば屋 こいつ？

A 早く言ってよー。

そば屋 ああ、はい、わかりました。そちらさまはおそばよろしいんですか。

A いや、いいんだ。こいつはいらないよ。そば食うような顔して

he eats soba, does he? Hey, hey, hey, hey, I want to eat some noodles, too. Oh, I know. It's OK. We'll share a bowl of noodles. Shut up.

NM: Excuse me, what is happening here?

A: It's OK. Hey, is the soba ready? Mr. Noodle man, is it not ready yet?

NM: I'm sorry, I'm boiling water now.

A: Hey, hey, hey, you are still boiling water? Oh, well, well, well, it's OK. If the noodles come out quick, that's nice, but it's also nice to wait and wait and wait, and finally get to eat. So, is it ready yet?

NM: Yes, here you go.

A: So, is it ready already? Oh, good, good, good. Oh, this smells good. Fu---. Fu---. (*Eats*) This soup is salty. But the noodles are very thin... OK. Fu---. Fu---. (*Eats*) This is sticky, very thick! (*Eats*) This is sticky. (*Eats*) Hey, hey, don't pull my sleeve. Don't pull my sleeve. Stop pulling my sleeve.

NM: Excuse me, what do you mean?

A: Don't pull my sleeve. I'll leave your share. Stop pulling my sleeve. Look, look, the Noodle man is laughing at us.

NM: I'm not laughing.

A: Wait, wait, wait. Here I'll give you. Eat if you want. Eat it.

ないだろう。兄貴、俺も食べるよ。わかってるよ。いいんだよ。一杯を二人で分けて食べるんだ。黙ってろよ。

そば屋　すみません、何が起こってるんでしょう？
A　いいんだよ、おう、もうできたか。そば屋、まだできないの？

そば屋　すみません、いま、お湯を沸かしておりまして。
A　おいおい、お湯を沸かしておりまして？ああでもいいよ、いいよ。注文をしてすぐに出てくるというのもいいけど、待って、待って、待って楽しみにして、そこでやっと食べられるっていうのもいいよな。で、まだ？
そば屋　お待ちどうさま。
A　ああ、できたできた。いいね、いいねえ。いい香りだ。ふうふう（食べる）、だしが塩っ辛い。ふううふうう、そばが細いからい、ふうふう（食べる）、いや、べちゃべちゃで太いな。（食べる）ベタベタする。（食べる）おいおい、袖を引っ張るな、引っ張るなって。やめろってんだ。
そば屋　お客さま、どうなさいました？
A　引っ張るなっていうの、お前の分は残しておいてやるよ。袖を引っ張るなって。ほらそば屋が笑ってるよ。
そば屋　笑ってませんよ。
A　待って、待て、待ってろ。やるから。ほら食いたかったら食い

Yes, yes. Of course I'll eat it! I paid eight yen! Oh no, there are only three noodles. Why there are only three noodles left?

NM: You ate it!

A: There isn't much to eat. Only three noodles. Chuuupon. Chuuupon. Chuuupon.

NM: Please don't look at me like that.

A: Are you done? Yes, I'm done. Say *Gochisosama*. *Gochisosama*. OK, hey, Noodle man, here is your bowl. Aren't you going to ask me, "How about another bowl?"

NM: What?

A: Ask me "Would you like another bowl?"

NM: Leave me alone now... OK, OK, OK. I'll say it. I'll say it. Would you like another bowl?

A: No thank you! How much?

NM: Ah, it's sixteen yen.

A: OK. I have small change. Can you give me your hands?

NM: Yes, sure...

A: Are you ready? One, two, three, four, five, six, seven, eight. What time is it now?

NM: Ah, it's four.

A: Oh, five, six, seven, eight...

な。食えよ。食うよ食うよ。俺だって8円出してるんだ。あぁーあ、3本しかない。何で3本しかないんだ？

そば屋　あなたが食べたんですよ！

A　もう、食べるとこなんかほとんどないよ。3本しかない。チューーポン、チューーポン、チューーーポン。

そば屋　そんなふうに私を見つめないでください。

A　終わったか。終わったよ。ごちそうさまは？ごちそうさま。よし、そば屋さん、どんぶりここに置くよ。もう一杯いかがですか、って言わないの？

そば屋　えっ？

A　もう一杯いかがですかって、言ってよ。

そば屋　もう勘弁してください、あーあ、わかりました。言いますよ、言えばいいんでしょう。もう一杯いかがですか。

A　いらない！いくらだい？

そば屋　あああ、16円です。

A　さあ、金が細かいから手を出してくれ。

そば屋　へえ。

A　いくよ。ひい、ふう、みい、よお、いつ、むう、なな、やあ、いま何時だい？

そば屋　四つです。

A　いつ、むう、なな、やあ・・・。

「時そば」の解説

　「時そば」、上方落語では「時うどん」、いずれも最もポピュラーな噺ですから、日本語でもかなりのバージョンがあります。私も、少なくとも3種類くらいのこの噺を英語版にしたことがありますが、シャレが多いものもあり、苦労しました。今回、志の輔師匠に演じてもらった「時そば」は、シャレなどがほとんどなく比較的英語にしやすいバージョンでしたが、実は落語になじみのない外国人にはなかなか理解しにくいバージョンなのです。例えば、後半は、男が隣に誰もいないのに誰かがいるような会話のやりとりを一人でしゃべり、それを見ているそば屋が気持ち悪がるという設定です。この複雑な会話のやりとり、途中でいま誰がしゃべっているのかを見失うと、もうわからなくなってしまいます。しかし、そこは志の輔師匠の芸の力、聞いているだけで登場人物の滑稽な姿が目に浮かびます。

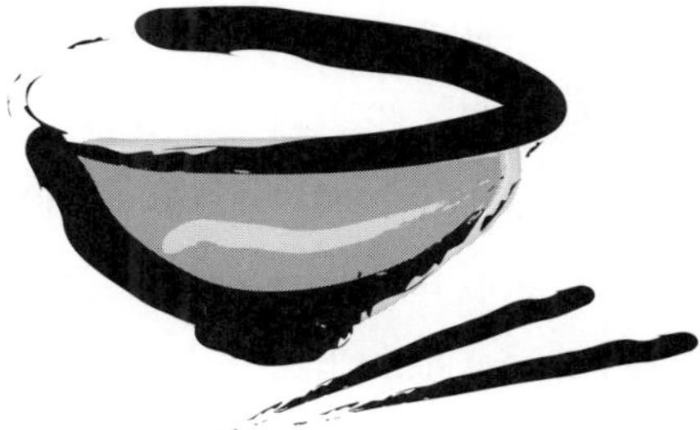

Gonsuke's Fish

Good evening ladies and gentlemen. Welcome to the world of Rakugo. My name is Kimie Oshima and I really thank you for coming this evening. How many people have seen Rakugo before? Oh...quite many. How many people have seen our show before? Not bad, not bad. Thank you very much. Well, this is our fourth time to perform in Malaysia. I really appreciate that people invited us, especially the Japan Foundation and Japan Airlines. Without them, I couldn't be here. I couldn't be here without flying, right?

Which reminds me of a joke. It's a short one. A man called Japan Airlines one day and he asked, "Ah, excuse me, how long does it take from Tokyo to Kuala Lumpur?" The operator said, "Oh, just a minute." The man said, "Wow. That fast. I guess time flies on Japan Airlines." Click. It goes like that.

Now, I really appreciate that you have seen Rakugo, I guess you don't really need an introduction to Rakugo then. Let me remind you. In Rakugo stories, many stories start like this. I switch my head like this on this side and say, "Oh, hello! Hello!" OK now, you don't have to answer. That's Rakugo.

権助魚
<small>ごんすけざかな</small>

　みなさまこんばんは。落語の世界へようこそ。大島希巳江といいます。本日はお越しいただき、まことにありがとうございます。落語を以前観たことのある方は？　ああ、結構多いですね。私たちの高座を観たことのある方は？（ほぼ同じ客が手を挙げる）なるほど、悪くないですね。ありがとうございます。マレーシアで公演するのは4回目になります。今回招待してくださった方々、特に国際交流基金と日本航空に感謝したいと思います。ご協力なしには、ここへ来ることはできませんでした。飛行機で飛ばずにここへは来られないでしょう。

　飛行機といえば、ジョークを思い出しました。短いジョークです。ある男が日本航空に電話をして聞きました。「すみませんが、東京からクアラルンプールまでどのくらいかかりますか」。オペレーターが出て、「少々お待ちください (Just a minute.)」と言うと、男は「エエーッ！そんなに速いの？日本航空だと、時間もあっという間だね」ガチャン、というジョークです。

　さて、落語を観たことがある方には落語の解説は必要ないと思いますが、ちょっと復習してみましょう。落語の噺の多くはこんなふうに始まります。顔をこっちに向けて、「どうも、こんにちは！こんにちは！」（観客が"Hello."と答える）さて、ここでみなさんは答えな

That's just one of the characters said "Hello" to the other character in the story. You don't have to answer. So I switch my head on this side like this and say "Oh hey, it's you! Why don't you come on up here!" You know what to do, right? Stay where you are. Don't come up on the stage just because I say so.

So, the Rakugo stories consist of conversations. There are many characters in a story and they have conversation between them. And that's how you watch it. But that doesn't mean you don't have to use your imagination. Even though you know how to watch Rakugo, you still have to use your imagination.

Now let's practice using your imagination. It's quite simple. Imagine that I have a guava in my hand. I'm going to throw it to you, and I want somebody to catch it and throw it back to me. Could anyone volunteer? It's not difficult. It's not like I have a guava in my hand. Just imagine that I have it and you catch it and throw it back. Any volunteer? OK, would you stand up please? Thank you. Let's see how well she does it. OK. A guava of this size. OK, ready? I'll throw it to you and you catch it. OK, hoi. Oh, did she drop it? She dropped it! Great job, great job! Should I try that with a durian now? No.

くて結構です。それが落語なのです。いまのは噺の中で登場人物の一人が「こんにちは」と別の登場人物に言っているのです。だから、みなさんは答えないでください。それで顔を今度はこちらに向けて「あー、お前さんかい。まあちょっと上がっていきなよ」。どうすればいいかわかりますね。そのままそこにいてください。私がそう言ったからといって高座に上がってこないように。

　ということで、落語は会話で構成されています。噺にはたくさんの登場人物が出てきて、会話をします。そういうものだと思って観てください。とはいっても、想像力を使わなくていいということではありません。落語の見方がわかっていても、想像力は使わなければいけませんね。

　では、イマジネーションを使う練習をしましょう。簡単です。私の手にグアバがあると想像してください。これをみなさんに投げますから、どなたかにキャッチして投げ返していただきたいのです。どなたかやってくれますか。難しくありません。本当にグアバを持っているわけではないのですから。ただ、持っているのだと想像して、キャッチして投げ返すだけです。どなたか。はい、立っていただけますか。ありがとうございます。さあうまくいきますでしょうか。OK。このサイズのグアバです。いいですか。投げますから捕ってくださいね。OK、ほいっ。（女性の観客が捕り損ねて落とし、つぶれてしまった、というジェスチャーをする）あ、落としました？　落としましたね！　す

PART 2　権助魚 Gonsuke's Fish

Let's not do that with a durian.

OK, everybody imagine there is a butterfly flying from this side to there. OK...there is a butterfly! Look! Oh, I'm not going to stop this until everybody participates in this practice. OK? A butterfly. Come on! A butterfly... OK, OK, good. How about..., a jet! Shuuu! Very good, very good! Now..., imagine that now you are..., a jellyfish. Now you became a jellyfish. Act like a jellyfish. Come on, everybody! You are a jellyfish! Everybody participate? OK. Now you know how that makes you feel like to perform Rakugo on stage. Makes you feel silly. That's what we do on the stage.

OK, it's time to do a true Rakugo. Oh, speaking of stupidity, we travel all over the world, right? And last year, I went to Pakistan for the Rakugo performance. And there is a funny story I would like to share with you. When I was in Pakistan, my actions were quite limited...very few things I could do, and one of the things was shopping...at a certain place. And Pakistan is famous for rock salt...natural rock salt cutting out from the mountain. And I thought I get some for souvenirs. So I went to the shop and there was a young man sitting at the counter. And I asked, how much those rock salts

ばらしい、すばらしいです！今度はドリアンでやってみましょうか。わかりました、ドリアンはやめておきましょう。

　それではみなさん、こちらからあちらまでチョウチョウが飛んでいると想像してください。いいですか･･･、チョウチョウがいる！見てください！　あの、全員がこれにちゃんと参加するまでやめるつもりはありませんから。いいですか。チョウチョウです。さあ！チョウチョウ…、はい、いいですね。それでは…、ジェット機は！　ブンッ！　素晴らしい、いいですね。では･･･、みなさん･･･、クラゲになったと思ってください。クラゲになりました。クラゲみたいな動きをしてください。さあ、みなさん、クラゲですよ！　みなさん参加しましたね。OK。これで高座で落語を演じるという感じがみなさんにもわかったと思います。アホみたいな気持ちになるんです。それを高座でやっているんです。

　さて、それでは落語に入りましょう。ああ、そういえばアホといえば、私たちは世界中を旅しているでしょう？去年はパキスタンへ落語をしに行きました。そこで面白いことがあったので･･･お話ししたいと思います。パキスタンでは、行動がかなり限られていまして･･･数少ないできることの中の一つが買い物でした･･･。決まった場所で、ですが。パキスタンは岩塩が有名で、それは山から削り取ってくる自然の岩塩なんだそうです。これはお土産にいいなと思いまして。お店に行きましたら青年がカウンターに座っているん

PART 2　権助魚 Gonsuke's Fish

were. And the man said they are all 60 rupees each. But it's strange. Because they are rocks cut out from the mountain. They come in different shapes and different sizes. Some are huge, and some are very small. But they are still all 60 rupees each. And so I said, "OK in that case, I should get a big one, right?" And he said, "yes you should." "All right," I picked the biggest rock salt and gave it to him. And he said "OK, 60 rupees." And he was about to put that in a paper bag. And I said "Oh wait a minute. Before you put that in the paper bag, that piece is too big for me to carry. So can you break that in half? So I can give half of it to a friend of mine. And that was a very stupid request to make. He said "sure," he broke it into half and said, "120 rupees." So I paid 120 rupees for those broken pieces. That was really stupid.

Anyway, let's start the real Rakugo story which I will begin... (*Sits on the platform*)

Now..., today's story is called Gonsuke's fish. Fish..., actually that reminds me of another funny story. A man was about to walk into a bar. And he saw an old man sitting in front of the bar. And this old man was fishing...fishing at the small water pond which was from rain. So there is no fish. But he was fishing in the water pond. And the man thought, "Oh,

ですね。そこで岩塩はいくらですか、と聞きました。すると彼はどれも一つ60ルピーだ、と言うのです。でもおかしいでしょう？山から削り取った自然の岩なのですから。どれも形も大きさもバラバラです。とても大きいものもあれば、小さいものもあります。でも、それでも全部一つ60ルピーなのです。「そういうことなら、大きいのを買ったほうがいいですね？」と言うと、彼も「はい、そのほうがいいです」と答えてくれました。「じゃあわかった」ということで、中でも最も大きい岩塩を選び、彼に渡しました。すると彼は「はい、60ルピーです」と言い、紙袋に入れようとしました。そこで私は「あ、ちょっと待って。それを袋に入れる前に、その岩塩はさすがにちょっと持ち運ぶには大きすぎるから。半分に割ってくれますか。そうしたら、友人に半分あげられるので」。あれはバカな注文でしたね。彼は「いいですよ」と答えて岩塩を半分に割ると、「120ルピーです」と言ったのです。その割れた岩塩に私は120ルピーを払いましたよ。本当に、バカでした。

　まあ、とにかく落語をやりましょう・・・こちらで始めますが・・・。

（高座に座る）

　さてと・・・、きょうの噺は「権助魚」といいます。魚・・・、といえば、またもう一つ話を思い出しました。ある男が飲み屋に入ろうとしていました。すると飲み屋の前に座っている老人が目に入りました。この老人、釣りをしているのですが・・・、雨でできた小さな水たまりで釣りをしているのです。魚なんかいるわけありません。で

PART 2 権助魚 Gonsuke's Fish

poor old man. He must be crazy." "Excuse me, old man, what are you doing?" "I'm fishing." "Oh, poor old man... You know what, I'll buy you a drink. Why don't you come into the bar with me." "Oh..., thank you very much." So they walked into the bar. He said, "Ah bartender, two glasses of beer, please! ...Thank you very much... Here you go." "Thank you... thank you, thank you." "So..., I saw you were fishing out there, huh?" "Yes, yes, I was fishing." "How was it going?" "Very good, thank you, very good." "It was going good? How...well, how many fish have you caught today?" "Aha ha ha ha..., you are the seventh."

This story, Gonsuke's Fish..., well Gonsuke is the name of a boy. Long time ago, Japanese merchant families had servants working in their houses. And those servants were young kids between 10...to 15 years old. So the merchant families gave them work and places to stay and education at the same time. And the girls helped the wife helping the housework and the boys helped the husband helping the business.

Okusama: Gonsuke! Gonsuke! Gonsuke! Gon..., I'm not talking to you, you know of course... Gonsuke! Gonsuke!

もその水たまりで釣りをしているのです。男は「ああ、かわいそうな老人だな。頭がおかしいのだな」と思い、「すみませんご老人、何をしているのですか」「あぁー、釣りをしておりますう」「かわいそうな老人だ・・・。そうだ、一杯ごちそうしましょう。一緒にいかがですか」「おお・・・、それはありがたい」ということで二人は飲み屋に入りました。男は「バーテンダー、ビールを2杯頼むよ！・・・ありがとう・・・さあ、どうぞ」「ありがとう・・・、どうも、どうも」「で・・・、外で釣りをしていましたね？」「はいはい、釣りをしとりましたなあ」「どうでした？」「とーってもよかったですよ、おかげさまでね、調子いいですわ」「調子がいい？ どう・・・、まあじゃあ、きょうは何匹釣れました？」「はっはっはっ・・・、あなたで7匹目です」

このお噺、「権助魚」は・・・、ああ、権助というのは男の子の名前です。昔は日本の商人の家には丁稚が働いておりました。丁稚は10歳から15歳くらいの若い子たちです。商家では仕事と、住むところと、教育などを丁稚に与えていました。女の子はおかみさんの手伝いで家事を、男の子はだんなさんの手伝いで商売をそれぞれ手助けしておりました。

奥さま　権助！権助！権助！ごん・・・、（前列の観客に向かって）あなたに話しかけているわけではありませんが、まあもちろんご存じで・・・。

PART 2 権助魚 Gonsuke's Fish

Come! Come to my room!

Gonsuke: Ah-ha ha, Okusama, Madam, did you call me?

Okusama: Yes, I called. Gonsuke, come, come. Sit, sit down. Gonsuke, I wanted to ask you a question. Ah, my husband, you know, your Dannasama, I think he has been acting very strange. And I think he has been seeing somebody, you know, a lady. You know what I mean.

Gonsuke: Ah-ha ha ha, yes, yes, yes, Okusama. I have no idea.

Okusama: OK, OK, OK. I mean, he is probably having an affair. Which, you know, he is a man. It's OK. It's not my business where he spends his money and time, it's OK, really, but..., you know, when we have a guest at home, it doesn't look good if I don't know where he is. So..., you must know where he is. Where he sees the lady. I want you to tell me where the lady lives. I wouldn't say for free. I'll buy you anything you want. You name it. I'll buy you anything you want, so you tell me where the lady lives.

Gonsuke: Okusama! Really? You buy me anything I want? Then..., I want some sweet bean cakes.

Okusama: ...You can ask for anything you want, and you only want sweet bean cakes? Ah, that's OK, that's OK. That's really easy. I'll get you some sweet bean cakes, so where is it?

権助！権助！ちょっといらっしゃい！ 私の部屋へいらっしゃい。

権助 でへへへ、奥さま、おいらのこと呼びましたですか。

奥さま ええ、呼びましたよ。権助、こちらへいらっしゃい。座って、お座りなさい。権助、ちょっと聞きたいことがあるのですよ。あのね主人、だんなさまね、わかるわね、どうも様子がおかしいのよ。それで誰か他の人に会っているんじゃないかと・・・、ほら、女の人とか。わかるでしょ？

権助 あはは、はいー、はいー、奥さま。まったくわかりませぬだ。

奥さま ああ、もう、わかりました。つまり、だんなさまが浮気をしてるってことですよ。まあね、ほら、だんなさまも男性ですから。いいんですよ。どこでお金や時間を使おうと私の知るところじゃないんですけどね、いいのよ、本当に。でもね、ほら、うちにお客様がいらしたときに、だんなさまがどこにいるのかわからないんじゃあ、みっともないでしょう。それで・・・、お前ならどこかわかるでしょう？どこでその女の人に会っているか。その女の人が住んでいるところを教えてちょうだい。タダでとは言いませんよ。何でも欲しいものを買ってあげましょう。言ってごらん。何でも欲しいものを買ってあげますから、 その女の人が住んでいるところを教えてちょうだい。

権助 奥さま！本当ですだか。何でも欲しいもの買ってくださるだか。そんなら・・・、おいらは羊羹が欲しいですだ。

奥さま ・・・お前、欲しいもの何を言ってもいいんですよ、それなのに羊羹なんかが欲しいのかい？ まあ、いいでしょう、いいですよ。

PART 2 権助魚 Gonsuke's Fish

Gonsuke: Oh, Okusama, it's just around the corner. It's not far. I go there every day.

Okusama: You go there every day!? That close? I'm so shocked. Who would that be... Ah, how old is she? It doesn't have to be exact. Just guess. Just give me the rough number.

Gonsuke: Number...? Oh, how many! I think five is enough. I think I will be full with five.

Okusama: ...Gonsuke, What are you talking about?

Gonsuke: Sweet bean cakes!

Okusama: Gonsuke, I'm not talking about sweet bean cakes! I'm talking about the lady. You know where she lives, right?

Gonsuke: Oh, the girl's house. That, I don't know. Because when Dannasama goes to the girl's house, he points out in the sky and says, "Gonsuke, look! What is that!?" so I look, but there is nothing. I say, "Dannasama, there is nothing!" and I turn back to him, and there is no Dannasama. He is gone.

Okusama: I see. He slips away. He thinks you are a stupid country boy. ...OK, OK. It's OK. Later this afternoon, I'm sure he goes to this lady's house again. So I want you to follow him. Don't look where he points out. Follow him and find out where the lady lives, OK, I'll give you one-yen. You buy whatever you want with this money. Here.

それなら簡単です。羊羹を買ってあげましょう、で、どこなの？

権助 ああ、奥さま、すぐそこの角を曲がったところですだ。遠くはないですだ。おいらなんか、毎日行ってますだ。

奥さま 毎日行っているですって!? そんなに近くに？ 驚いたわ。誰なのかしら…。で、おいくつくらいなの？正確でなくていいから、当ててみて。だいたいの数字でいいから言ってごらんなさい。

権助 数字…? あー、いくつってこと！おいら5つもあれば十分だあ。5つあったら腹いっぱいになるだ。

奥さま …権助、お前いったい何の話をしているんです？

権助 羊羹ですだ！

奥さま 権助、羊羹の話じゃありません！その女の人の話をしてるんです。どこに住んでいるのか知っているんでしょう？

権助 ああ、おなごの家だか。それはおいら知らないですだ。だんなさまがおなごの家行くときは、空を指差して「権助見てみろ！あれは何だ！」とか言って、おいらが見てみると、そこには何もないですだ。「だんなさま、何もないですだ！」っておいらが振り向くと、もうそこにだんなさまはおらなんだです。いなくなっちまってるですだ。

奥さま なるほどね。ごまかして逃げてしまうのでしょう。だんなさまはお前をバカな田舎者だと思っているんですよ。わかりました、いいでしょう。きょうの午後、またださなさまはその女の人のところへ行くでしょう。お前、だんなさまのあとをつけていっておくれ。指差すところを見ちゃだめですよ。ついていって、女の人の住んで

PART 2 権助魚 Gonsuke's Fish

Gonsuke: Okusama! You give me one yen? Then, I'm all on your side now!

Okusama: OK, oh, here he comes.

Dannasama: Gonsuke! Gonsuke! Where are you? Gonsuke, why are you here? Gonsuke, go get me my jacket. I'm going out.

Okusama: Oh. Dannasama, you are going out. Where are you going?

Dannasama: Nowhere. Just out... and turn right and left and come back later.

Okusama: Dannasama, you are going out to just go nowhere?

Dannasama: Well, of course not. Oh, I just remember! I have to see Yamada-san for some business.

Okusama: Oh, for some business! Well, then take Gonsuke with you if it's a business.

Dannasama: Ah, no, no, I don't need Gonsuke. It's a very casual business. I don't need Gonsuke today.

Okusama: Dannasama. Take Gonsuke with you, if it's a business.

Dannasama: I don't need Gonsuke...Gonsuke can do some housework for you, huh?

Okusama: Dannasama. Take Gonsuke with you, if it's a

いるところを見つけてきてちょうだい。じゃあ・・・、1円あげましょう。このお金で何でも好きなものを買いなさい。ほらどうぞ。

権助　奥さま！1円もくれるですか。そんだばもう、おいらは奥さまの味方ですだ！

奥さま　わかりましたよ、あら、ほら帰ってきましたよ。

だんな　権助！権助！どこにいるんだ？権助、なぜここにいる？権助、上着を持ってきておくれ。出かけるぞ。

奥さま　あら。だんなさま、お出かけですか。どちらへ行かれますの？

だんな　どこでもないよ。ただ外へ出て・・・、右へ曲がったり左へ行ったりして帰ってくるだけだ。

奥さま　だんなさま、どこでもないところへ行くのに出かけるのですか。

だんな　何を、もちろんそんなことはない。ああ、いま思い出した！仕事でね、山田さんに会わないといけないんだよ。

奥さま　まあー、仕事でね！それなら権助を一緒に連れて行ってくださいな、仕事なら。

だんな　あ、いやいや、権助はいらないよ。まあ軽い仕事だから。きょうは権助はいいよ。

奥さま　だんなさま。仕事だというのなら、権助を連れて行ってくださいな。

だんな　権助はいいよ・・・、家で何か家事でもやらせたらいいじゃ

business!

Dannasama: OK, OK, I'll take him. Gonsuke come, come with me. Get me my bag too. ...What's wrong with my wife? Why does she want me to take Gonsuke? Gon..., Gonsuke, why are you holding on to my sleeves?

Gonsuke: Dannasama! I will not let go of your sleeves! Don't worry about me. Don't worry. Just walk. Walk to the girl's house, you cheater!

Dannasama: What!? Let go, Gonsuke. What are you doing? What are you talking about? ... Did my wife say anything to you before we left the house?

Gonsuke: ... No. Nothing, nothing, nothing.

Dannasama: I'm sure... she told you something. She probably gave you some money too. Not too little, but enough...like one yen, didn't she?

Gonsuke: Were you watching that...? OK, I will give this money back to you then.

Dannasama: Oh, no no, Gonsuke, I don't want your one yen. You keep that, you keep that. So she gave you one yen, huh? Well, I will give you..., two yen.

Gonsuke: Dannasama! You give me two yen? Then I'm all on your side now!

ないか、なあ？

奥さま だんなさま。仕事だというのなら、権助を連れて行ってくださいな。

だんな わかった、わかったよ。連れて行くよ。権助おいで、ついておいで。じゃあカバンも持ってな。あいつ、どうしたっていうんだ。どうして権助を連れて行けなんていうんだ？ごん…、権助、何だって着物の袖をつかむんだ？

権助 だんなさま！この袖、離しませぬだ！おいらのことは気にしないでくだせえ。心配しないでくだせえ。たーだ歩いてけばいいですだ。おなごのとこさ歩ってくだせえ。この浮気モンが！

だんな 何だって!? 離しなさい、権助。何をやってるんだ？何のことを言っているんだ？…お前、家を出る前にうちのに何か言われてきただろう？

権助 いんや。何も、何も言われてないですだ。

だんな いや、確かに何か言われてきたな。たぶんお金もちょっと渡しているんだろう。少なすぎず、でも十分な…、1円くらいもらってきただろう？

権助 見てただかね…? わかりました、そんだばこのお金はだんなさまに返しますだ。

だんな いやいや、権助、お前の1円なんかいらないよ。それはお前がとっておきなさい。で、奥さまが1円くれたんだな、ん？じゃあ、わたしからはお前に…、2円やろう。

Dannasama: Very good, that's good, that's good going. Now. I want you to go home and tell my wife that when we were crossing the bridge, we saw Yamada-san. We talked about business and it seems like the business went well, so we went to a Geisha house and celebrated. We drank sake and we partied. And then, since the weather was nice, we went out to the riverside, and took a boat out and we did some fishing. And we caught a lot of fish. Then I and Yamada-san felt really good. So we decided to stay overnight at the hot springs inn, so I am not coming home tonight. Gonsuke, can you remember that?

Gonsuke: Yes, yes, yes, Gonsuke is very good at telling a story. Yes yes, I can remember that.

Dannasama: Now Gonsuke, on your way home, I want you to stop by the fish market and buy some fish. So my wife won't be suspicious. OK?

Gonsuke: Ah, fish, fish... Gonsuke is from mountainside. I have never seen the ocean. I don't know much about the fish.

Dannasama: Oh, that's OK, that's OK. Just tell them that you are looking for net fishing fish. Then they'll know what to get.

Gonsuke: Net fishing fish, net fishing fish... I want net fishing fish, OK, OK. OK, so when I buy the fish, do I pay for that out

権助　だんなさま！2円もくれるだか、そんだば、もうおいらはだんなさまの味方ですだ！

だんな　よしよし、いいぞ。それでお前は家に帰ってな、うちのにこう言ってほしいんだ。橋を渡っておりますと山田さんにお会いしました。仕事の話をいたしまして、話がうまくいったようなので芸者をあげて祝杯をあげました。酒を飲んで大騒ぎ。それからお天気がよかったので川へ行って船を出し、釣りをいたしました。たくさん魚が釣れました。それでだんなさまと山田さんはすっかりいい気分になって。きょうは温泉宿へ泊まることになったのでお帰りになりません、と。権助、覚えられるかい？

権助　ああ、はいはいはい、権助は話をするのが得意ですだ。大丈夫、覚えられますだ。

だんな　それから権助、家に帰る途中で魚屋へ寄って魚を買っていっておくれ。それならうちのも疑うまい。いいかい？

権助　ははあ、魚、魚···、権助は山の方の出身ですだ。海を見たこともないですだ。魚のことはよくわからないですだ。

だんな　ああ、大丈夫、大丈夫。網とり魚をお願いしますと言えばいいんだよ。そしたら向こうでわかってくれるから。

権助　網とり魚、網とり魚、···網とり魚お願いしますです。わかりました、わかりました。そんで、魚を買うときはこの2円の中から払

PART 2　権助魚 Gonsuke's Fish

of these two yen or do I get the money for it.

Dannasama: All right, Gonsuke. Here is the money for the fish. OK?

Gonsuke: OK, OK, Dannasama. Go go go go, go to the girl's house! Bye-bye. He is running... Ha-, I don't understand. His wife, Okusama is such a nice lady. Why does he cheat on her...? Well, Gonsuke never understands. It's OK, it's OK. He is running, it's OK. So, fish. I have never seen the ocean. I have never seen any fish before. I guess I'll ask for net fishing fish, net fishing fish... Excuse me!

Fish market: Hey, *rasshai!* What would you like?

Gonsuke: Ah, I'm looking for net fishing fish. Do you have any net fishing fish?

Fish market: Yeah, well you know what, most fish are caught with a net. Name it!

Gonsuke: Oh, OK. That's easy then. Ah, oh! What is that? That's a very big fish. What's that?

Fish market: That? You don't know what that is? Are you sure you are Japanese? That's salmon.

Gonsuke: Salmon? Is that a net fishing fish?

Fish market: I'm sure they caught it with a net.

Gonsuke: Ah, OK. I'll take it. Salmon. It's big. I like it. Ohh!

うのかね、それともそのお金はまたもらえるんだかね。

だんな　わかったよ、権助。ほら、魚のお金だよ。いいかい？

権助　ああー、もう大丈夫だ、だんなさま。行ってくだせえ、行ってくだせえ、おなごの家さ行ってくだせえ！さいなら！だんなさま走っとる･･･はあ、わからねえだ。奥さまは何ともいい人だ。何で浮気するだかねえ。ああ、権助には絶対にわからねえだ。まあいい、まあいい。だんなさま、まだ走っとる。さて、魚だあ。海も見たことないだもんな。魚なんかも見たことないだもんな。網とり魚頼むだね、網とり魚･･･すいません！

魚屋　へい、らっしゃい！何にしやしょ？

権助　あー、あの、網とり魚を探してるんだけども。網とり魚っちゅーのはあるだかね？

魚屋　あいよ、まあだいたいね、ほとんどの魚は網でとれるんだよ。何でも言ってみな！

権助　あ、そうだかね。それなら簡単だね、これ。あー、おお！あれは何ですだ？あれはずいぶん大きい魚だね。あれは何ですだか。

魚屋　あれ？お前さんあれを知らないの？ホントに日本人かい？あれは鮭だよ。

権助　鮭？それは網とり魚だかね？

魚屋　たぶん網で捕ったんだと思うよ。

There is a very strange-looking fish with many legs! What's that?

Fish market: You don't know what that is? That's octopus!

Gonsuke: Octopus? It's called octopus? It's strange-looking fish with many legs! Why is he so red?

Fish market: Well. We boiled it.

Gonsuke: Bo, bo, bo, boiled?

Fish market: You know, like, taking a hot bath, you know.

Gonsuke: This funny-looking guy took a bath!? Ha ha ha, very funny, very funny. OK, I'll take it. OK, what else...Ohhhh! These are very strange-looking fish! These small tiny fish, they have no eyes, no fins, or tails... How can they swim?

Fish market: You got to be kidding. Those are sashimi. Yeah, sashimi. Tuna. Haven't you had these before?

Gonsuke: I don't think so. I don't know tuna.., these are called tuna... They are not good at swimming, are they? Are these net fishing fish?

Fish market: I don't know. Whatever. I'm sure, yeah!

Gonsuke: I'll take it. I think that's enough, that's enough... Here is the money. Thank you very much! Okusama will be very happy to see these fish... Okusama! I'm home!

Okusama: Oh, Gonsuke! That was fast! Well, come. Come to

権助　そんならいいですだ。もらってくだ。鮭。大きいね。いいなあ。おおお！足がいっぱい生えてるヘンな魚がいるだ！あれはなんですだ？

魚屋　あれが何か知らないって？ありゃタコだよ！

権助　タコ？タコっていうんですだか。足がいっぱいでおっかしな格好の魚だなー。何だってあんなに赤いんだかね？

魚屋　ああ。そりゃ茹でたんだよ。

権助　ゆ、ゆ、茹で？

魚屋　そう、ほら、つまり熱いフロに入ったってことだ。

権助　このおっかしなヤツ、フロに入っただか!?　ははは、そいつはおかしいだ！よし、もらってくだ。あとほかには・・・おおお！これまたおかしな格好の魚だ！このちっちゃい魚、目もヒレも尾っぽもないだ・・・どんなして泳ぐんだか。

魚屋　冗談言っちゃいけないよ。そりゃ刺身だ。そう、刺身。まぐろ。食べたことないの？

権助　ないと思うだねー。まぐろっちゅーのは知らないだ。まぐろっていうだか・・・泳ぎはうまくないだろね？これは網とり魚かね？

魚屋　もう、知らないよ。何でもいいや。ああ、そうじゃないかな！

権助　もらってくだ。もう十分ですだ、うん十分。これ、お金ですだ。ありがとうございましたです！奥さま、この魚見て喜んでくれるだね、きっと・・・奥さま！戻りましただ！

奥さま　あら、権助！早かったのね。まあ、お部屋へいらっしゃい。

PART 2　権助魚 Gonsuke's Fish

my room. So, how did it go?

Gonsuke: Oh, it was very good. Um, first, when we were crossing the bridge, we saw Yamada-san. And we talked about business.

Okusama: Yamada-san. OK, well, he was going to see Yamada-san. So that's OK. And then?

Gonsuke: And then, the business went well so we went to the Geisha house and we celebrated. We drank a lot of sake, we danced and sang and partied. That was fun! Then, we went to the riverside, and we took a boat out at the river and we did the net...net...net fishing. We caught a lot of fish, yes. Then Yamada-san and Dannasama felt really good. So they went to the hot springs inn and he is not coming home tonight.

Okusama: Gonsuke. Don't you think there is something really wrong with that story?

Gonsuke: No.

Okusama: You and Dannasama left here about ten minutes ago. How can you go to the Geisha house and then party and go fishing and come back in ten minutes?

Gonsuke: But..., but, but, Okusama! You cannot say that. This is a Rakugo story. Use your imagination! ... And Gonsuke brought you some fish from fishing. You want to see the fish?

で、どうだった？

権助　あー、うまくいきましただ。まず橋を渡っていると山田さんに会いましただ。それで仕事の話をなさいましただ。

奥さま　山田さん。そうね、山田さんに会う予定だったわね。そこはいいわ。それから？

権助　それから、仕事の話がうまくいったので芸者をあげて祝杯をあげましただ。たーくさん酒も飲んで、踊ったり歌ったり、大騒ぎしたですだ。楽しかったなあー！それから川へ行きまして、船を出して網・・・、網・・・網とり釣りをしただね。たーくさん魚が釣れましただ、うん。それで山田さんとだんなさまはすっかりいい気分で。このまま温泉宿に泊まるぞってんで、今晩はお帰りになりません。

奥さま　権助。その話、どこかものすごくおかしいとは思わないかい？

権助　いんや。

奥さま　お前とだんなさまがここを出て行ったのはほんの10分前ですよ。たった10分の間にどうやって芸者あげて騒いで釣りして帰ってこられるっていうんですか。

権助　でも・・・、でも奥さま！それを言っちゃなんねえですだ。落語ですから。イマジネーションを使わねえと！・・・それに権助、釣った魚を持ってきたですだ。魚見てみるだかね？

Okusama: Fish? OK, all right. Well, let me see those fish.

Gonsuke: OK, OK! First one...this big fish came. It's called salmon.

Okusama: Gonsuke, you are from mountainside, so maybe you don't know. But salmon is something we can only catch in northern part of Japan. You don't see this in Tokyo.

Gonsuke: Yes, yes, yes, yes, I know that! But this salmon said, "Oh it's very cold in northern part of Japan. I want to go somewhere warm!" So he came down to Tokyo and came up the river. He was so warm and relaxed. So we caught him very easily. And then, we caught this guy called octopus. Yes. When we pulled him up on the boat, he was so cold shaking like this. So Gonsuke gave him a hot bath. Now he is so red. Yes, yes. And then, we caught more things. Then we saw these small guys called tuna. Those guys are so small. They have no eyes, no fins or no tails. So they said "Everybody! Stick together! Stick together! Or we will be drowned!" So Gonsuke saw those guys on the surface of the water. Gonsuke just grabbed them with the bare hands.

Okusama: Gonsuke, Gonsuke. You cannot catch any of those fish around here. And how much did Dannasama give you to tell me that stupid story?

奥さま　魚？わかりました、いいでしょう。魚を見せてごらんなさい。

権助　はい、はい！　最初にきたのはこの大きい魚ですだ。鮭っていう魚ですだ。

奥さま　権助、お前は山育ちだから知らないかもしれないけどね。鮭なんて日本の北のほうでしか捕れないんですよ。こんなの東京にはいないの。

権助　ええ、ええ、ええ、知ってますですとも！ でもこの鮭は「おー、北の方はずいぶん寒いだ。どっかあったかいとこさ行きてえなあ！」つって東京に来て川を上ってきたんですだ。あんまりあったかいんでゆったりしてたんだ。だから簡単に捕まえましただ。それから、このタコってやつを捕まえましただ。 うん。船に引き上げると、寒いって、こーんなに震えてたです。それで権助が熱いフロに入れてやりましただ。だからこんなに赤くなって。うん、うん。それからまだありますだ。このちっちぇえ魚、まぐろっていいますだ。ホントにちっちぇえ魚でね。目もヒレも尾っぽもないですだ。そんなもんだから、こいつら「みんな！ くっついてなきゃダメだぞ！ はなれちゃなんねぇ！ おぼれちまうだよ！」つって。んでもって、権助、水面にこのちっちぇえ魚見つけて、素手でつかみ取りしたですだ。

奥さま　権助、権助。こんな魚この辺りじゃ捕れないんですよ。そんなバカバカしい話をするのに、だんなさまにいくらもらったんだい？

PART 2　権助魚 Gonsuke's Fish

Gonsuke: Were you watching that?

Okusama: Well, I wasn't watching but I'm sure he gave you some money to tell me that story. Give me the money.

Gonsuke: (*Weeping*) Here is the money.

Okusama: One yen? I don't think so. I gave you one yen. He gave you one yen and you told me that story? I don't think so.

Gonsuke: (*Weeps and gives one more yen*)

Okusama: Two yen. That sounds just about right.

Gonsuke: Okusama, I'm sorry. I'm sorry, Okusama. But I will catch Dannasama tomorrow for three yen if you want.

権助　見てただかね？

奥さま　まあ、見てはいないけど、いくらかもらってそんな話をしているんでしょう。そのお金出してごらんなさい。

権助　(泣きながら) これだ。

奥さま　1円？そうじゃないでしょう。私があげたのが1円ですよ。だんなさまに1円もらって、あんな話を私に？そんなわけないわね。

権助　(泣きながらもう1円出す)

奥さま　2円。まあそんなところでしょうね。

権助　奥さま、ごめんなさい。でも明日はだんなさまをきっと捕まえますだ…3円もらえれば。

「権助魚」の解説

　この噺の英語版をつくるにあたって最も苦労したのが、魚屋さんで権助が買う魚です。オリジナルの古典落語では、にしんすけとうだら、めざし、たこ、かまぼこを買うことになっています。にしんすけとうだらは英語にしてもピンとくる種類ではないので、どこの国でも北の方で捕れるとよく知られている、鮭にしました。めざしは目にわらを通して泳いでいた、と権助が言い張るところが面白いのですが、これは断念しました。めざしを説明するところから始めると、もう笑えなくなってしまいます。かまぼこも考えました。魚の形状をしていないので、泳ぎの苦手なかまぼこが板にしがみついて水面をぺちゃぺちゃ泳いでいるのは滑稽です。何とかそこを生かすために、まぐろの刺身にしてみました。ほとんどの国で刺身は知られています。小さなめざしたちの「離れちゃなんねえぞっ！」というセリフもここで活かすことができました。

　オチもこの噺は苦労しました。オリジナルのオチは、最後に権助が奥さまにむちゃくちゃな魚の説明をしたあとに「権助、いいかげんにしなさい。こんな魚はね、関東一円じゃ捕れないんですよ！」。すると権助、「１円じゃない、２円で頼まれた」という、きれいなオチなのです。きれいですが、こういうシャレは本当に困るのです。いろいろ試したあげく、結局いまのオチに落ち着きました。いまのところは権助が奥さまに３円もらおうとする、といったところですが、今後も別のオチを考えては高座で試してみたいと思っています。

　海外公演向けに工夫した点もあります。奥さまに「芸者あげて騒いで、釣りしたというのに１０分で帰ってくるのはおかしい」と指摘された権助が「これは落語です、イマジネーションを使ってくだせえ」と答えるところ、オリジナルにはありません。海外公演では最初に「落語を見るときはイマジネーションを使ってください」と説明しているので、ここで権助にも言わせてみました。もともとはアドリブで入れてみたのですが、結構ウケるのでレギュラー入りしました。また、会場によって高座から時計が見えるようであれば、奥さまのセリフは時計を指差しながら言います。本当に、ちょうど旦那さまと権助が家を出てからこのくだりまで、だいたい１０分くらいなのです。

注：CDはライブ公演を録音したものです。演者が高座に座ってから、音が多少小さく聞こえますが、それは立ってマイクを持って話していた状態から高座に上がったためです。ご了承下さい。

Okiku's Plates (The Haunted Plate House)

Japanese people are hard working people. We all know that and it's good. But sometimes we work too hard and we forget the purpose of it. Why did I even start working so hard about this?

So here is a short story about a chicken. A man was driving a car really fast in the countryside. And in the mirror, he saw a chicken running behind his car. The chicken was running really fast. It came closer to his car, and even passed his car and ran even faster. He said, "Wow! What kind of chicken is that!" So he followed the chicken. After a while, the chicken ran into one of the farm house. So he followed that chicken, drove into the farm house and came out of the car and asked the farmer.

"Excuse me, I saw a chicken just ran into your farm house. Is that yours?" "Yes. That's a very special kind of chicken." "I bet so. It was running so fast. What kind of chicken is that?" "Well, it's kind of a long story, but... In my family, there are three members. Me myself, my wife and my son. We all like drum sticks. You know the lower part of chicken legs. But

お菊の皿(皿屋敷)

　日本人は勤勉ですね。よく知られていますし、いいことです。でも時として一生懸命がんばりすぎて、目的を忘れてしまうこともあります。何でこれ、こんなにがんばっているんだっけ？とね。

　そこで、ニワトリの小咄をご紹介しましょう。ある男が田舎道をスピードを出して運転していました。するとバックミラーに車の後ろから走ってくるニワトリが映りました。そのニワトリはものすごい速さで走っています。ニワトリは車にどんどん近づき、車を追い越してさらに走っていきます。男は「おお！ 一体どんなニワトリなんだ！」そしてニワトリを追いかけました。しばらくすると、ニワトリはある農家に駆け込みました。男もニワトリを追いかけて農家へ入り、車から降りると農夫に聞きました。

　「すみません、お宅に走ってきたニワトリを見たんですが。あれはお宅のですか」「ええ。あれは特別なニワトリなんです」「そうでしょうね。すごく足が速い。どういうニワトリなんですか」「話は長くなりますが・・・、うちの家族は３人なんです。私自身と妻と息子がいます。私たちはみんなニワトリのモモ肉が好きでして。トリモモ肉ね。でも、一羽だと足が２本でしょう。それでケンカになるんです。それで二羽だと足が４本でしょう。これもケンカになるんです。

one chicken only provides us two legs. So we have to fight over them. And two chickens will provide us four. So we have to fight over them too. So I did a lot of study. I did a whole bunch of research. And I created a chicken with three legs." "You did? That's great. I have never heard of anything like that. So how does it taste?" "Well, we don't know because we haven't been able to catch one yet."

Sometimes we work really hard, and forget the purpose of it. Here is a classical story called "The Haunted Plate House."

(Knock, knock)

Young guy 1: Hello, uncle Toku! Hey, I brought some friends. Can we come in?

Uncle Toku: Oh, who is that? Ah, that's my young nephew. ... I hate young people... All right, come in, come in...

Young guy 1: Thanks, uncle Toku. Everybody, come in, come in. Well uncle Toku, we've got some question so we came to ask you. Ah, we heard that there is a ghost around here. Is that true?

Young guy 2: Yeah, uncle Toku! We heard about it just in the next-door (neighborhood) town. And we thought we'd ask you about it. We know that you are an old grumpy strange man

そこで私勉強しまして。いろいろ研究しました。で、3本足のニワトリを開発したんです」「本当に？ それはすごい。そんなの聞いたことないな。で、どんな味がするんですか」「それが、まだ一羽も捕まえられていないので味はわからないんです」

　時として、私たちは一生懸命がんばりすぎてその目的を忘れてしまいます。さて、それでは古典落語の「皿屋敷」です。

(コンコン、コンコン)

若者1　こんにちは、徳おじさん！ 友達連れてきたんだ。上がっていい？

徳おじさん　誰だね？ ああ、甥っ子かあ。‥‥若いやつらは嫌いなんじゃ‥‥。わかったよ、上がっておいで‥‥。

若者1　徳おじさん、ありがとう。みんな、上がれよ。で、徳おじさん、ちょっと聞きたいことがあって来たんだけどね。この辺りに幽霊がいるって聞いたんだけど。本当かい？

若者2　そうそう、徳おじさん！ 隣町で聞いてきてさ。徳おじさんに聞こうってことになって。年寄りで気難しくて変なおじさんだし、僕らのこともあまり好きじゃないってわかってるけど。徳おじさんみ

and you don't like us very much. But old men like you know everything, right?

Young guy 3: Yeah, tell us about it, uncle Toku!

Young guy 4: Tell us about it, uncle Toku!

UncleToku: All right, all right, what did I tell about young people...they are so stupid. You know the..., haunted plate house. There is a ghost. You must be talking about that ghost. What? You've never heard of the haunted plate house? See, young people are so stupid... All right, do you know the Kuruwa house just around the corner?

Young guy 1: Yeah, uncle Toku, we know the Kuruwa house. It's a famous old house. What about it?

Uncle Toku: Well, People call the Kuruwa house, the haunted plate house. Because there used to be a powerful lord living in that house. And there were many maids working there too. One of the maids, Okiku, was the most beautiful girl of all. The lord liked her very much, but Okiku had someone else in her heart. So she didn't want to marry the lord. But the lord said, "Okiku. Be my wife." "Oh no, lord, I can't. I can't do that." "Okiku, be my wife!" "I can't." "Be it! Be my wife!" "I can't!"

Young guy 1: Uncle Toku! Uncle Toku! Are you OK? What are

たいなお年寄りって何でも知っているでしょ？

若者3　そうそう、教えてよ、徳おじさん！

若者4　教えてよ、徳おじさん！

徳おじさん　わかった、わかった、だから若いやつらは…馬鹿なんだから。ほら、あの…皿屋敷知っとるじゃろ？あそこに幽霊がいるんじゃ。あの幽霊のことを言っとるんじゃろ？何？皿屋敷を聞いたことない？ほら、若いやつらは馬鹿じゃ…。わかった、そこの角を曲がったところに廓があるのを知っとるな？

若者1　ああ、はい、廓は知ってるよ。有名な古い家だよね。あれが何か。

徳おじさん　人はあの廓を皿屋敷と呼ぶんじゃよ。あそこには昔、お武家さんが住んでおってな。たくさんの女中がそこでは働いておったんじゃ。なかでも、お菊さんは一番の器量よしだったそうじゃ。お武家さんはお菊さんのことが大好きじゃったが、お菊さんにはほかに思う人がおってな。お武家さんと結婚はしたくないと断ったそうじゃ。それでもお武家さん「お菊、わしの妻になれ」「お武家さま、できませぬ。できませぬ」「お菊、わしの妻になれ」「できません」「なれというのに！わしの妻になれ」「いいえ、できませぬ」

若者1　徳おじさん！徳おじさん！大丈夫？どうしちゃったの!?

you doing!?

UncleToku: Oh! Oh, I lost myself again. When I get too excited about telling a story, I always lose myself. Where was I?

Young guy 1: Well uncle Toku, don't do that. That's scary. Ah, what happens to Okiku?

UncleToku: Oh, ...so Okiku refused to marry the lord. And other maids heard about it, and they were so jealous because they wanted to marry the lord too. They said, "Why Okiku!? I'm more beautiful!" "Why Okiku? I can cook and clean better!" And all the kinds of stuff. They didn't like Okiku for her beauty. And one day, the lord brought a set of precious exclusive plates. There were ten of them. And asked Okiku to keep them in a safe place. Okiku said she would keep them with all her care, so she hid them in a safe place in her room. But that night, some other maids sneaked into Okiku's room and stole one of the plates and hid it. A few days later, the lord came to see Okiku and said, "Okiku, I want to see my plates. Bring them out."

Okiku brought them out and started counting. "One, two, three, four, five, six, seven, eight, nine...? Oh. I'm missing one plate."

"Okiku, what did you do to my plate?"

徳おじさん　おお！また自分を見失ってしまった。話をし始めると、興奮して我れを失ってしまうのじゃ。どこまで話したかな？

若者1　もう徳おじさん、やめてよ。怖いよ。で、お菊はどうなったの？

徳おじさん　おお、それでお菊はお武家さんとの結婚を断ってな。ほかの女中たちがこれを聞いて、みんなお武家さんとの結婚をねらっていたもんだからもう焼きもちやいてなあ。みんなして「何でお菊なの⁉　私のほうがきれいよ！」「何でお菊なのかしら？　私の方が料理も掃除も上手なのに！」なんてねえ。お菊の器量のよさが気に食わなかったんじゃな。そんなある日、お武家さんが特別な珍しいお皿を一式持ってきた。10枚セットでな。で、お菊に安全なところへ隠しておくように申し付けたんじゃ。お菊は、気をつけて保管しておきます、と言って、自分の部屋の安全な所へ隠しておいた。ところがその晩、ほかの女中がお菊の部屋に忍び込み、皿を1枚盗んでいったのじゃ。数日後、お武家さんがお菊に会いにきて、「お菊、あの皿を見たい。持ってきなさい」と言った。

　お菊は皿を持ってくると1枚ずつ数え始めた。「1枚、2枚、3枚、4枚、5枚、6枚、7枚、8枚、9枚、…？　1枚足りないわ」

「お菊、私の皿をどうしたのだ？」

"Oh, I don't know, lord. I don't know what happened to it."

"Okiku, did you steal my plate?"

"No, never! I would never do such a thing!"

"Okiku, you stole it!"

"No, I didn't!"

"Okiku, you are a liar! You lied to me and you stole my plate and you even refused to marry me! For all those sins, I must cut you up and dump you in the well!"

"No, lord, it's a mistake!"

"Stay still. And you will feel no pain."

(*Basaaa*-----)

Young guy 1: Uncle Toku! Uncle Toku! Are you OK? What are you doing?

Uncle Toku: Oh! Did I lose myself? I always lose myself.

Young guy 1: Well, don't do that, uncle Toku. That's scary. So, what happened to Okiku?

Uncle Toku: Oh. Ah, and then, poor Okiku was killed and dumped in the well... And from that night, the ghost of Okiku appears from the well every night. She comes out and counts. One...two...three...and I heard that's very scary.

Young guy 1: Wow... I didn't know that... That sounds cool. So do you think she is still doing that every night? I mean, it was

「わかりません、ご主人様。どうなっているのか私にはわかりません」

「お菊、私の皿を盗んだのか」

「まさか！そんなこと絶対にいたしません」

「お菊、盗んだな！」

「いいえ、そんな！」

「この嘘つきめ！お前は私に嘘をつき、皿を盗み、結婚まで拒みおって！それらの罪により、お前をこの場で切り落とし井戸に捨ててくれる！」

「おやめください、ご主人様。何かの間違いです！」

「じっとしておれ。さすれば痛みは感じまい」

（バサアーーーッと切り落とす）

若者1　徳おじさん！徳おじさん！大丈夫？どうしちゃったの？

徳おじさん　おお！また我れを失ったか？いつも自分を見失ってしまうんじゃ。

若者1　やめてよ、徳おじさん。怖いから。で、お菊はどうなったの？

徳おじさん　おお。ああ、それでな、かわいそうにお菊は殺されて井戸に捨てられてしまったのじゃ···。そしてその晩からお菊の幽霊が毎晩井戸から現れるのじゃよ。お菊が出てきては皿を数えるのじゃ。いちまあい、にまあい、さんまあい、それはそれは恐ろしいと聞いておる。

若者1　へええ···知らなかったなあ···おもしろそうじゃん。で、

a long time ago, wasn't it?

Uncle Toku: Of course it was a long time ago. But you know woman. The grudge of a woman never goes away...

Young guy 1: Oh, so... Do you think she is still doing it tonight? What do you think? Huh? Huh? What do you think? Do you want to go tonight? Do you want to go see Okiku tonight?

Young guy 2: Sounds good!

Young guy 1: OK, let's go! Bye uncle Toku!

Uncle Toku: Wait! Wait! You young people are so stupid. Sit down. You can go see Okiku tonight, but never stay until she counts to nine. You should leave at the count of seven. Because otherwise, she will catch your soul and you will be dead!

Young guy 1: OK, OK, uncle Toku! (*Be choked by Uncle Toku*) We will be careful. We'll leave at the count of seven. Bye!

Young guy 2: OK. That sounds really exciting.

Young guy 3: Yeah, cool.

Young guy 1: Wait. Look. It's still a little bit too early... Let's go get some drinks and go afterwards.

So those guys went for some drinks and after a while they've started walking towards the Kuruwa house.

いまでも毎晩やってると思うかい？ってのは、それはずいぶん昔のことなんだろ？

徳おじさん　もちろん昔のことじゃ。だがな、女ってものを知ってるじゃろう？女の恨みは消えないものじゃ･･･。

若者１　へえ、じゃあ･･･。今晩もやってると思うかい？どう思う？ん？ん？どうだい？今晩行ってみたいかい？今晩お菊を見に行ってみたいかい？

若者２　それいいね！

若者１　よし、じゃあ行こう！じゃあね、徳おじさん！

徳おじさん　待ちなさい！待ちなさい！若いやつらは本当に馬鹿じゃ。座りなさい。今晩お菊を見に行っても構わんが、お菊が９枚を数えるまでいては決してならぬぞ。７枚くらいでその場を離れなさい。さもなくばお菊に魂を取られて死んでしまうぞ！

若者１　わかった、わかったよ、徳おじさん！（首を絞められ、ふりほどく）気をつけるよ。７枚でその場を離れるよ。じゃあね！

若者２　よーし。おもしろそうだなあ。

若者３　ああ、こいつはいいねえ。

若者１　ちょっと待て。見ろよ。まだ少し時間が早いな･･･。ちょっと飲んでから、そのあと行くとしよう。

　この若者たち、飲み屋で一杯飲んでから廓へと向かって歩き始めます。

Young guy 1: Haa~! I'm really excited to see Okiku.

Young guy 2: Yeah, me too. Okiku is the beautiful one, yeah?

Young guy 3: Yeah, look! I even stole a plate from the bar. See, while Okiku is counting, I'm going to throw this one... to the well. So she will be happy! "Oh! Now there are ten plates!" I wonder what happens!

Young guy 1: Don't do that. That will confuse her... Come on... Oh look. There is the Kuruwa house.

Young guy 2: Oh.., that's really old and falling apart... I'm getting chills.

Young guy 3: It's really scary. Let's get closer a little bit. You, you come over here. Stand by here. You, you come over here. Well, stand by here. (*Pulls them closer to him*) OK, let's go. Move. Move! I, I can't even walk! Get away! Stay away from me! Walk separately, OK?!

Young guy 1: Oh, look. There is the well! Shiii..., speak quietly and sit here for a while and wait for Okiku to come out.

After a while, with a white gleaming light, Suuu----- The ghost of Okiku came out of the well. Shuuu-----

Okiku: One..., two..., three..., four...

若者1 はああ〜！お菊に会えるの楽しみだなあ。

若者2 ああ、そうだなあ。お菊は何たってべっぴんさんなんだろ？

若者3 おい、見ろよ！俺なんか飲み屋から皿を一枚盗んできてやった。で、お菊が数えてる間にこれを井戸に投げてやる…。そしたらお菊喜ぶぞ！「あら！お皿が十枚あるわ！」ってな。そしたらどうなるだろ！

若者1 やめとけ。お菊が混乱するだろ…。来いよ…。見ろよ。廓だぜ。

若者2 わあ…。本当に古くてボロボロだな…。寒気がしてきた。

若者3 おそろしいな、おい。もう少し近寄ってみよう。お前、お前こっち来い。ここに立っとけ。おいお前、お前はこっち来い。で、ここに立て。（両脇に二人を引き寄せる）よし、行くぞ。動けよ。動けって！おい、歩けないだろ！あっち行け！俺に近づくな！バラバラに歩け、わかったか?!

若者1 おい、見ろ。井戸があったぞ！シー…、静かに話せよ、ここに座ってお菊が出てくるのを待とう。

しばらくして、白いかすかな光とともに、スウーッと、お菊の幽霊が井戸から シューー…。

お菊 いちまあい…にまあい…さんまあい…よんまあい…。

Young guy 2: Ahh...! That's the ghost of Okiku! It's real!

Young guy 3: Oh, look! She's got no legs! It's a real ghost!

Okiku: Five..., six..., seven...

Young guy 1: Oh, she counted seven! We have to go! Run! Go!

Young guy 3: Oh, wow, that was..., that was very, very scary! Wow, wo, ha, ha, ha, ha! That was kind of fun too, wasn't it?

Young guy 2: Yeah, that was kind of exciting! Do you wanna go tomorrow night?

Young guy 1: OK, let's go tomorrow night!

So the next night, they gathered more people and went to see Okiku. The night after, they gathered even more people to see Okiku. Okiku was becoming popular.

Young guy 2: OK, let's go see Okiku tonight again! All right!

Young guy 3: You know, I really like her voice. I think it's kind of sexy.

Young guy 1: She is really beautiful. I really like her. You know, she smiles a little bit these days. Really cute. Here it is. Come on, Okiku! Come on out! Okiku!

With a white gleaming light, Shu Shu---, Suu---. (*Okiku comes out*)

若者2　わああ・・・！お菊の幽霊だ！本物だあ！

若者3　おお、見ろよ！足がないぞ！本物の幽霊だ！

お菊　ごまあい・・・ろくまあい・・・ななまあい・・・。

若者1　わあ、七枚数えたぞ！行かなきゃ！走れ！行け！

若者3　おー、わあー、ありゃあ・・・、こ、こわかったなあ！わはあ、はあ、ははあ、はは、はは！なんかおもしろかったなあ？

若者2　うん、なんか楽しかった！明日の晩も行く？

若者1　いいね、明日の晩も行こう！

　ということで、次の晩、もっと人を呼んでお菊を見に行きます。その次の晩はさらに人を集めてお菊を見に行きます。そうしてお菊は人気者になってきました。

若者2　よし、今晩もお菊に会いにいこうぜ！　やっほーい！

若者3　あのね俺はねえ、お菊の声が好きだな。何となく色っぽいだろ。

若者1　お菊はべっぴんだよなあ。お菊いいよなあ。でさ、最近ちょっと笑うんだよ。かわいいよな。おお、ここだここだ。おーい、お菊！出てこいよ！お菊！

　白いかすかな光とともに、シュシュー、スウーーッ。（お菊が出てくる）

Okiku: (*Bows both sides*) Thank you. Thank you for coming. Ugh, ugh. I have a little cold today. Ugh, I would like to start counting. One..., two..., three...

Young guy 1: Okiku! All right, smile! Come on, wave at me! Okiku!

Okiku: Ugh, four..., (*Smiles and waves*) five..., six..., seven..., good bye. (*Smiles and waves*)

Young guy 1: She counted seven! Let's go!

Young guys: Waa---!!!

So they did this every night. And after a few days.

Young guy 1: I haven't seen Okiku for two nights now. I've been working..., too busy. So, do you want to go see Okiku tonight?

Young guy 2: Yeah, I bet she misses us.

Young guy 3: I know, if we are not there, there is almost no point for her counting any more.

Young guy 1: Yeah, we have to go see her. She is waiting for us.

Young guy 2: OK, well, let's go.

お菊　(左右に向かっておじぎをする) ありがとうございます。お越しいただきありがとうございます。コホコホ、ちょっと今晩は風邪をひいておりまして。コホ。それでは数え始めたいと思います。1枚…、2枚…、3枚…。

若者1　お菊！いいぞ、笑顔！こっちこっち、手ぇ振って！ お菊！

お菊　コホ、4枚…、(笑顔で手を振る) 5枚…、6枚…、7枚…、ではさようなら。(笑顔で両手を振る)

若者1　7枚数えたぞ！行くぞ！

若者たち　わあーーー!!!

　こんなことを毎晩やっておりまして。数日後。

若者1　ここ二晩ほどお菊見てないなあ。働いてたんだよ…忙しすぎちゃってな。で、今晩あたりどうよ、お菊見に行く？

若者2　ああ、お菊寂しがってると思うな。

若者3　そうだよ、俺たちがいなきゃ、お菊だって数える意味がほとんどないだろうよ。

若者1　そうだ、お菊に会いに行かなくっちゃ。きっと俺たちのこと待ってるよ。

若者2　よし、じゃあ、行こうぜ。

Young guy 1: Ah, wow. What is that big crowd over there? Looks like there are a lot of people. Let me ask... Excuse me! Excuse me, what is this big crowd of people? And there is a long line here, what is it?

Passerby: Oh. You don't know anything about the Kuruwa house? Well, there is a beautiful ghost called Okiku...

Young guy 1: Oh, don't tell me that story. I know that. So this whole crowd is to see Okiku? But the Kuruwa house is one block away! There are so many people there. What kind of festival is that?

Passerby: Well, if you want to go see Okiku, you better get in the line.

Young guy 1: I'm not going to get in the line! See, we found her first. I have the right to see her in front. Ah, excuse me! Let us through! Let..., excuse me! Oh, move away! Move..., oh, there are so many people...Uuuu, haaaa, uuuu... (*Pushes people away*) Oh, there is the well. I can finally see the well. Oh, look at all these people, so strange. What is that..., the sign says..., Okiku's fan club... There is a fan club now? If anybody, I should be one.

Audience: Okiku! Okiku! Okiku! Okiku! (*Clapping*) Okiku, the beautiful ghost! Wooo!

若者1　おっと、何だ。あの人ごみは何だありゃ？ ずいぶんたくさんの人が出てるみたいだぞ。聞いてみよう…、すみません！ すみません、この人ごみは何ですか。それにこの長い行列は何でしょう？

道端の人　おや。あなたたち廓について何も知らないんですか。あのね、お菊っていうずいぶん器量よしの幽霊が…。

若者1　その話を俺にするのはやめてくれ。知ってるよ。じゃあ、この人ごみ全部、お菊を見に？ でも廓はもう一つ先の角だぜ！ すごい人だな。どんな祭りだよ？

道端の人　あの、お菊を見たいんだったらその行列に並んだほうがいいですよ。

若者1　あんな行列なんかに並べるか！ あのね、俺たちが最初にお菊を見つけたの。俺には真ん前でお菊を見る権利がある。あー、すみません！ 通してください！ ちょっと…、すみません！ もう、どけ！ どいて…、あー、すごい人だ…ううーん、むうーーう、ううーー（人ごみをかきわける）ああ、井戸があった。やっと井戸が見えるよ。おい、見てみろよこのへんな人たち。なんだありゃ…、旗に何か書いてある…、お菊のファンクラブ…何、ファンクラブがあるの？ そんなの、俺がやらずに誰がやるんだ。

観客　お菊！ お菊！ お菊！ お菊！（手拍子）とっても・かわいい・幽霊お菊！ わああー!!

PART 2　お菊の皿 Okiku's Plates

Young guy 1: Gee...that's really strange. Everybody, be quiet. Okiku is coming out. Okiku! I'm here! Okiku!

With a white gleaming light, Okiku came out of the well. Suuu------.

Okiku: Ladies and gentlemen. Welcome to my show! Can you see me back there? Are you OK? OK! Now are you ready? Put your hands together!! Come on, everybody! Everybody! I'm talking to you! Come on! Come on! Ready? One! One plate! Two! Two plates! Three! Three plates! Four! Come on! Four plates! Five! Five plates!

Young guy 1: Stop it!! Stop! What kind of entertainment is this? What is she, a big star now?

Okiku: Six! Six plates and Seven! Seven plates!

Young guy 1: Oh! It's the count of seven! We have to go! Everybody move back! Ah, there are too many people! We can't go... Hey, everybody! We have to go! She counted seven already! Come on! We are going to die! Come on, everybody move! Move back!

Okiku: Hey eight! Eight plates and Nine! Nine plates and Ten! Come on, ten plates and Eleven! Eleven plates!

若者1　うわあ・・・ほんっとヘンなの。みんな、静かに。お菊が出てくるぞ。お菊！　俺だよ！　お菊！

　白いかすかな光とともに、お菊が井戸から、スゥーーッ。

お菊　みなさま、ようこそ私のショーにいらしていただきました！　後ろのほうの方、見えますか。大丈夫ですか。大丈夫ですね！　では準備はよろしいですか。手拍子をお願いいたします‼　はい、みなさん！　全員ですよ！（観客に向かって）みなさんに話しかけているんですよ！　はい、どうぞ！　がんばって！　いいですか。1枚！　皿1枚！　2枚！　皿2枚！　3枚！　皿3枚！　4枚！　皿4枚！　5枚！　皿5枚！

若者1　やめなさーい！やめなさい！どういう余興なんだ。お菊は何、ビッグスターなわけ？

お菊　6枚！　皿6枚で、7枚！　皿7枚！

若者1　わあ！7枚だ！　行かなくっちゃ！みんな、逃げて！ああ、人が多すぎるよ！　逃げられないよ・・・。おーい、みんな！　逃げなきゃ！　もう7枚数えたぞ！　早く！死んじゃうよ！　おーい、みんな動け！　逃げろー！

お菊　はい、8枚！　皿8枚で9枚！　皿9枚と10枚！　さあ行くわよ、皿10枚と11枚！　皿11枚！

Young guy 1: ...? Okiku...? What are you doing? You are not supposed to be counting passed nine.

Okiku: Well, I've been working every night and I'm tired now. So I want to count up to eighteen tonight and take a night off tomorrow.

若者1　…？ お菊…？ 何やってんだ？ 9枚以上数えるなんておかしいぞ。

お菊　あのね、あたしは毎晩働いてるのよ、疲れちゃったわよ。今晩は18枚数えて、明日の晩は休ませてもらいます。

「お菊の皿」の解説

　女性の私には演じやすい噺で大好きです。英語版の作成にはさほど苦労しなかったのですが、演出には気を配りました。前半で徳おじさんがお菊の話をするあたり、もともとの怪談噺を知っている日本人の観客には「ああ、あの怪談噺ね」とさほど違和感ないのですが…。海外の飽きっぽい観客は、あまり長い間笑いがないとなかなか集中して聞いてくれません。オリジナルは、前半はほとんど笑いどころがなくしんみりとお菊の話が続きます。それを話すときに興奮し過ぎてしまうちょっと変なおじさんにしたのは、春風亭昇太師匠の演出です。これで前半も躍動感あふれる噺になります。昇太師匠の演出といえば、権助魚でも「権助、あれは何だ！」と空を指差して権助をまいてしまう、というシーンもそうです。いつも面白いアイディアをありがとうございます。

　さて、後半だんだん調子に乗ってきたお菊が最後に、観客に手拍子を要求します。これは実際にその場にいる観客に手拍子をさせるという演出をしています。本当に、全員が参加するまで手拍子させます。これは落語としてはルール違反だなあ、と思いますが海外公演ではノリのよい観客が多くとても喜ばれるのです。全員で盛り上がれる、よいシーンとなっています。

　この噺は、東京では「お菊の皿」、大阪では「皿屋敷」と呼ばれていますが、基本的には同じものです。

付録1
英語落語傑作選

「壺算」
Pot Mathematics

「代脈」
The Substitute Quack

「たぬさい」
Coon Dog and a Gambler

Pot Mathematics

Kiroku: Hi. How are you?

Gen: Hey. What's up?

Kiroku: I put water in my pot at night and the next morning the water is gone.

Gen: I'm not surprised. Your pot is broken.

Kiroku: Yeah. My wife says that too.

Gen: So what?

Kiroku: But she said, don't say it's broken, it's bad luck. Say it's not good for holding water.

Gen: Why are you here?

Kiroku: My wife told me to go buy a small pot. But I'm not good at shopping. I pay a lot of money for cheap things. But Gen-san is a stingy and cunning demon, so tell him that he's good at shopping, or something, and get him to go shopping with me... That's what my wife said.

Gen: What did you just say?

Kiroku: Well, I'm not good at shopping. And Gen-san is..., not stingy, but cunning..., isn't true, so I'm..., not going to tell you

壺算

喜六 こんにちは。ご機嫌いかが？

源 ああ、どうも。

喜六 夜のうちにつぼに水入れておくとね、次の日には水がなくなってるんだけど。

源 驚かないね。おたくのつぼ、壊れてるもん。

喜六 うちのかみさんもそう言うんだよ。

源 で、何だよ。

喜六 でもね、縁起が悪いから壊れてるって言うなって。水が溜められないって言うんだってさ。

源 お前、何しに来たの？

喜六 うちのかみさんが、小さいつぼを買ってこいって。でも俺は買い物がうまくないから。安いものにたくさん金出しちゃうからって。でも源さんならずる賢いし、鬼のようにケチだから、源さんは買い物上手だよねとか何とか言って、一緒に買い物に行ってもらったら…って、うちのかみさんが。

源 何だって？

喜六 だから俺は買い物がうまくないから。で、源さんはずる賢い…ってこともないけど、ケチってのも違うんだけど、だか

you're good at shopping... And my wife also said not to say that in front of you...

Gen: I heard you crystal clear now.

Kiroku: Oh, you are angry with me now, aren't you? Oh, I'm so stupid! So you are not coming to shopping with me, are you? Oh I'm so stupid!

Gen: Ah, that's OK. I already know that. Everybody knows that you are stupid. Besides, a Rakugo story needs a stupid man and a wise man. You're certainly the stupid one, so that makes me the wise man. I'm going with you.

Kiroku: Yeah? Thank you, thank you Gen-san!

Gen: But! You keep quiet. You can ruin everything... Excuse me. We're looking for a pot.

Clerk: Welcome, Gen-san! What kind of pot would you like?

Gen: Well, he is buying. Hey, how about this one? Do you like it?

Kiroku: No, I don't.

Gen: What? Why? What don't you like about it?

Kiroku: This is different from what my wife was talking about.

Gen: All the pots are the same.

Kiroku: No, the top of this pot is closed and the bottom is wide open. I can't put water in it, and even if I did, the water would

ら買い物がうまいとも言えないんだけどね、ああ、うちのかみさんもそれは源さんには言うなって言ってたな。

源　はっきり聞いたぞ。

喜六　ううー、怒ってるんでしょ？俺は馬鹿だ！買い物に付き合ってくれないでしょ？ああ、俺は何て馬鹿なんだ！

源　ああ、もう、いいよ。それはもう知ってるから。お前が馬鹿だってのはみんな知ってるからいいんだよ。それにな、落語には馬鹿と賢いの両方必要なんだよ。お前は確実に馬鹿なほうだから、俺が賢い役だな、うん。行ってやるよ。

喜六　ええ？ありがとう、ありがとう源さん！

源　ただし！口は閉じてろよ。お前がしゃべると全部台無しになっちまう。えー、ごめんください！つぼ買いにきたんですがね。

店番　源さん、いらっしゃいませ。どんなつぼをお探しで？

源　ああ、こいつが買うんだけどね。これなんかどうだ？いいんじゃないか。

喜六　いや、これはだめだ。

源　え？なんで？何が気に入らないんだ？

喜六　これはうちのかみさんが言ってたのと違うからなあ。

源　つぼはみんな同じだよ。

喜六　いや、これなんか上がふさがっていて下がこんなに開いてるだろ。これじゃ水が入れられないし、入れても下から全部流れ

come out of the bottom.

Gen: I see. You'd better shut up. This is just..., see, upside down. Excuse me Mr., how much is this one? Can you give us a discount?

Clerk: Well. Both of my neighbors have the same kind of shops, and Gen-san, you aren't here for the first time, so I'm giving you the best price now, three yen and fifty sen.

Gen: Oh. Because both of your neighbors have the same kind of shops, and this isn't my first time here, you're giving me the best price, and that's three yen and fifty sen?

Clerk: That's right.

Gen: Then what if your neighbors didn't have the same kind of shops, and I'm here for the first time, and you're not giving me the best price. How much would that be?

Clerk: Ah,...three yen and fifty sen.

Gen: The same. That's not good. Let's forget about the fifty sen. If you give me a discount, I will bring so many good customers next time!

Clerk: Humm. Really? Fine, three yen, just for you.

Gen: Good. Hey, three yen. Pay him quickly.

Kiroku: You didn't let me speak, but I'm the one who has to pay...

ちまうよ。

源　なるほどね。やっぱりお前は黙ってな。これは・・・、な、逆さまなの。すいませんがね、これはいくらで？割引してもらえるかな？

店番　うちの両隣は同じような店だし、源さんも初めてのお客さんじゃないし、精一杯割引いたしまして、3 円 50 銭。

源　ほう。両隣が同じような店で俺がきょう初めての客じゃないから、精一杯の値段で、それが 3 円 50 銭？

店番　そういうことです。
源　じゃあね、もし両隣が同じような店じゃなくて、俺が初めての客で、精一杯の値段を出さなかったとしたら、いくら？

店番　え？ええ？えー、3 円 50 銭。
源　同じだな。それじゃ困るんだよ。50 銭をまず忘れよう。割引してくれたら、次回いい客たくさん連れてくるからさ。

店番　うううん。そうですか。では、源さんだけに 3 円で。
源　よし。おい、3 円。早く払いな。
喜六　全然しゃべらせてくれないんだもん・・・それなのに俺が払わなきゃいけないなんてなあ・・・。

Gen: It's your pot. Come on. Three yen.

Kiroku: Let's see..., three yen..., one, two, ...this is not three...

Gen: Just give me that!

Kiroku: Ah..!

Gen: One, two, three... Here it is. Three yen.

Clerk: Thank you very much, Gen-san!

Gen: OK, let's go. Pick up the pot and let's go!

Kiroku: Wait, Gen-san! Wow. You are really smart. You bought this pot only for three yen.

Gen: Oh, do you think we are done? No, not yet. Get out and go right... Take the next corner right. Take a right again. Right. I said right.

Kiroku: Ah, but Gen-san, I came back to the front of the same shop again.

Gen: It's OK. It's OK. Excuse me.

Clerk: Oh, Gen-san, did you forget something?

Gen: No, he said he wanted a bigger pot. He should have said that in the first place, but you know, he is...like this...

Kiroku: I didn't...!

Gen: BY THE WAY! We would like a bigger pot instead of this small pot.

Clerk: Fine. OK.

源　お前のつぼだろう？ほら、早く。3円。

喜六　ええと、3円。いち、にい、さん・・・っと、これじゃなくて・・・。

源　さっさとよこせ！

喜六　ああ！

源　いち、にい、さん、と。はい、3円ね。

店番　ありがとうございました！

源　よし、さあ行こう。そのつぼ持って、行くぞ！

喜六　待って、源さん！源さんは賢いなあ。このつぼをたった3円で買ったよ。

源　もう終わりだと思うかい？まだまだ。そこを出て右に曲がってな・・・次の角も右。また右。右だってば。右！

喜六　えー、でも源さん、さっきの店の前に戻ってきちゃったよ。

源　いいんだ、いいんだよ。ごめんください。

店番　あれ、源さん。何かお忘れ物で？

源　いやいや、こいつがやっぱり大きいつぼが欲しいっていうもんだから。最初に言えばいいのに、こいつはほら、こんなだから・・・。

喜六　は？そんなこと言ってない！

源　ところで!!小さいつぼの代わりに大きいつぼが欲しいんだけどな。

店番　もちろんかまいませんよ。

Gen: How much is the bigger pot?

Clerk: Well, the bigger pot costs twice as much as the smaller one, so seven yen... What? You bought this small pot for three yen? So three yen times two is six yen...? Oh no no no no, no way! I can't give you one yen discount!

Gen: You'll be OK. Like I told you, if you give me a discount, I'll bring you so many other customers next time.

Clerk: Gen-san, you're really good at shopping. OK. Six yen, only for you!

Gen: Great! So, how much would you take this small pot back for?

Clerk: How much? Well you just bought it a minute ago, so I'll take it back for three yen.

Gen: Oh, yeah? That's good. And..., do you still have the three yen I gave you a minute ago?

Clerk: Ah, yes, I still have that three yen, right here.

Gen: Good! Then I return this three yen pot back to you, and together with that three yen cash you have right there, it will be six yen, right?

Clerk: Ah..., three yen cash here and three yen pot back here, so..., yes, yes. Six yen! Thank you very much.

Gen: Good! Thank you! Bye! Come on, pick up the big pot

源 大きいつぼはいくらだい？

店番 えー、大きいつぼは小さいつぼの2倍の値段ですんで、7円で…何ですか。さっき小さいつぼを3円で買ったから？3円の2倍は6円だって？いやいやいや、そりゃ困る！1円の割引はできませんよ。

源 大丈夫だって。言ったろ、割引してくれたら次回たくさんお客さん連れてくるから。

店番 源さん、本当に買い物上手ですねえ。わかりました、6円ね、源さんだけですよ！

源 よかった！で、さっきのこの小さいつぼはいくらで引き取ってくれるかな？

店番 いくら？まあ、さっき買ったところですから、3円で引き取りますよ。

源 ほんとに？それはよかった。で…、さっき払った3円はまだそこにあるね？

店番 ええ、はい、さきほどの3円は確かにここにあります。

源 よかった！じゃあ、この3円のつぼをそっちに返して、そこにある3円と足してそれで6円と、そうだね？

店番 ええー、3円がここにあって3円のつぼを返してもらうと…、そう、そうですね、6円です。毎度あり！

源 どうもお世話様！さよなら！ほら、早くつぼもっていくぞ！

付録 1 壺算 Pot Mathematics

and let's go!

Kiroku: Wait, Gen-san! Wow. You are smart. You bought a seven yen pot for six yen!

Gen: Oh, you didn't get it, did you? Of course not. You never get it.

Kiroku: But Gen-san, I don't want this big pot. My wife said a small pot. This is too big.

Gen: Oh, it's OK. It is going to be just fine. Just wait. Keep on walking.

Clerk: Excuse me. Hey, Gen-san!

Gen: What?

Clerk: Well, it's just a little strange. Ah, I thought I sold that pot for six yen.

Gen: You did.

Clerk: But, I only have three yen here.

Gen: That's why we returned that small pot. That's three yen. You can sell that pot again for three yen, then you'll get three yen. In fact, you can even sell that for three yen and fifty sen! You make more money!

Clerk: What? Ah, ah, I see! Sorry. I forgot about the pot you returned. There are many similar pots in my store.

Gen: Well then, we're going home. Bye!

喜六 待って、源さん！ 源さんは賢いなあ、7円のつぼを6円で買っちまった！

源 ははあ、お前わからなかったのか？ まあ、わからないだろうな。

喜六 でも源さん、こんな大きいつぼはいらないよ。うちのかみさんは小さいつぼって言ってたんだから。これは大きすぎるよ。

源 大丈夫だって。まあちょっと待って。歩いて歩いて。

店番 すみません、源さん！

源 なんだい？

店番 いや、ちょっとこれおかしいんですけどね。そのつぼ6円で売ったと思うんですが。

源 そのとおり。

店番 でも、ここに3円しかないんですよ。

源 だからあの小さいつぼを返しただろう。あれが3円。あのつぼを3円でまた売ればいいんだよ。それか、あのつぼ3円50銭で売ったらどうだい？ もっともうかるよ！

店番 なんですって？ ああ、なるほど！ すみません、あの返してもらったつぼのこと忘れてました。似たようなつぼが店にはたくさんあるんで…。

源 じゃあ、帰るよ。さよなら！

Kiroku: Gen-san..., what are you doing? I don't want this big pot...

Gen: It's OK. He will come back again.

Clerk: E-Excuse me! I'm sorry, but it still doesn't make sense... I mean, I just don't feel like I've done any business. Could you explain it to me just one more time?

Gen: What? I don't want to explain one more time... OK, how about we start all over again from the beginning? I will return this big pot back to you, so you give me the money back.

Clerk: OK..., but in that case, how much do I give you back?

Gen: Six yen, of course!

Clerk: No, wait. That sounds really wrong. I only have three yen. I don't want to give you six yen!

Gen: Hmm. OK, how about this. I give this big pot back to you, and you give me three yen cash and three yen pot. That should bring us back to the beginning.

Clerk: OK..., I guess I can do that. You give me that big pot back to me, so I give you this three yen cash and the small pot... OK. We are equal now.

Gen: Right. Oh, you know what. We are running out of time now. We have to go. Well, I'll come back to your store

喜六 源さん・・・何をしてるんだい？こんな大きいつぼはいらないって・・・。

源 大丈夫。また戻ってくるから。

店番 す、すいません！ すみませんが、どうも計算が合わないんで。つまり、なにかこう、商売したっていう感じがしないんですよ。もういちど説明してもらえませんか。

源 何？もう説明したくないなあ・・・わかった、じゃあもう一度最初から全部やり直そう。この大きなつぼを返すから、金を返してもらおう。

店番 わかりましたが・・・、その場合いくら返すんですか。

源 もちろん６円！

店番 ちょっと待ってくださいよ。それはどう考えてもおかしい。３円しかもってないんですよ。６円は渡したくないなあ！

源 ふむ。わかった、じゃあこれでどうだ。この大きなつぼを返すから、さっきの３円と３円の小さいつぼを返してもらうか。それで最初に戻るわけだ。

店番 そうですね・・・、それならできると思います。じゃあ、その大きいつぼをこっちにもらって・・・、この３円と小さいつぼをそちらへ渡して・・・、はい、これで元通りですね。

源 そう。あ、あれまいったな。もう時間がないなあ。きょうはもう行かなきゃならないな。また近いうちに店に寄らせてもらうよ。

付録 1 壺算 Pot Mathematics

sometime soon. Bye!

Clerk: Ah, OK. See you Gen-san! Thank you very much!

さよなら！

店番　ええと、わかりました。さよなら源さん！　毎度ありー！

付録1　壺算 Pot Mathematics

「壺算」の解説

　オチに困りに困って、噺全体を大改造してしまったのが「壺算」です。そもそも、こんなに賢い噺はなかなかない！と私のお気に入りの噺でしたので、がんばって考えました。オリジナルのオチは、最後に店番が追いかけてきてごちゃごちゃやりとりをしていると、ついに店番があきらめて「ああ、もういいです。その壺もう持っていってください」。すると喜六が「それがこちらの思うつぼ」と、これまた見事なオチです。こういう見事なオチは、いつもそうですが本当に困るのです。「思うつぼ」に換えられる面白い英語を思いつくことができなかったので、噺の設定を変えることにしました。

　まず、そもそも買いたい壺はオリジナルでは大きい壺ですが、英語版では小さい壺が欲しいということにしました。噺の途中や勘定のごまかし方などメインの部分は同じですが、最後に店番が喜六たちを追いかけてきてからのやりとりで、オチを変えています。「じゃあ最初からやり直そう。大きい壺を返すから6円返してくれ」と喜六が言うところからオリジナルと異なっていきます。最終的に、店番は大きい壺と引き換えに、小さい壺と3円を渡してしまうというオチにしました。そうすると、喜六たちはびた一文払わずに小さい壺が手に入るという、さらにお得な噺に生まれ変わったのです。落語の噺として、それはひどすぎるという人もいるかもしれませんが。英語落語をやっていると、本当にいろいろなオチや演出を考えるものです。いい勉強になります。

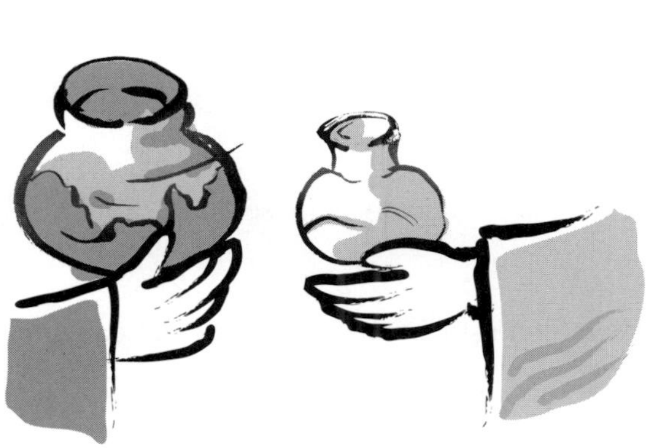

The Substitute Quack

When people get sick, they go to see a doctor. Not very many go to see the milkman. Doctors these days are very good, but a long time ago, people who failed in business..., selling vegetables, fish, tools, or...milk, became doctors. Because you don't have to have anything to start business. All you have to do is put up a sign saying, "Doctor."

"Doctor! Doctor! My son fell off the roof! He can't move his leg." "Let me see...huh, it's broken." "Can you fix it?" "It's too late now." "Well..., he just fell off a minute ago. I brought him here right away." "It's too late." "When wasn't too late, then?" "Before he fell off."

This is a story about doctors in those times....

Doctor: Hey, Shutatsu! Shutatsu! Go see the daughter at the Showa house for me. She's sick.
Shutatsu: That beautiful girl of the Showa noble family?

代脈
だいみゃく

　人は病気になると、医者へ行きます。牛乳配達人のところへ行く人はあまりいません。医者は最近はとてもよいですが、昔は、商売に失敗した人たち、野菜や魚、道具や・・・牛乳などを売っていた人たち、彼らが医者になったのです。なぜって、商売を始めるのに何もなくていいからです。必要なのは、「医者」と書いた看板を掲げるだけです。

　「先生！先生！息子が屋根から落ちました！足を動かせないんです」「どれどれ・・・うーん、折れとるね」「治せますか」「もう手遅れだね」「でも・・・、ちょうどさっき落ちたばかりなんですよ。すぐにここに連れてきたんですから」「手遅れなの」「いつなら手遅れじゃなかったんですか」「落ちる前なら・・・」

　これは、そんな時代の医者の話です。

医者　おい、周達！周達！私の代わりに昭和家のお嬢さんを診に行ってくれないか。ご病気らしいんだよ。
周達　昭和家のあのキレイなお嬢さん？やったー！・・・でもなぜで

Yes!... But why?

Doctor: As I said, she's sick.

Shutatsu: But, I'm just a shop boy. All I can do is keep the house clean and keep the shoes together, and throw darts for you to decide which medicine to give the patients.

Doctor: Don't say that... I'm busy. Don't worry, all you have to do is feel her pulse. Now, do you know what to do when you get there?

Shutatsu: I say, I came here to feel her for the doctor. Let me see her!

Doctor: No, the clerk will greet you first, then you tell him you've been trained to be a doctor.

Shutatsu: I see. So, first I lie.

Doctor: Then he will invite you into the first room. You just say "Ye--s, ye--s."

Shutatsu: Ye--s, ye--s.

Doctor: Then he'll bring you a cigar.

Shutatsu: Ye--s, ye--s.

Doctor: Then he'll bring you some tea.

Shutatsu: Ye--s, ye--s.

Doctor: Then he'll bring you some candies.

Shutatsu: Ye--s, ye..., Oh, how many?

す？

医者　いま言ったように、ご病気なんだ。

周達　でも、ボクはただの小僧です。ボクにできるのは、家を掃除したり、履物をそろえたり、先生が患者にどの薬を与えるかを決めるときにダーツを投げたりすることぐらいです。

医者　それを言うな。・・・私は忙しいんだ。心配するな、やらなきゃいけないことは、脈をとることだけだから。で、向こうに着いたら何をやるかわかっているな？

周達　先生の代わりにお嬢さんを触りに来ました。会わせてください！

医者　そうじゃない、番頭がまず最初にあいさつするから、そしたら、お前は医者としての訓練を受けている、と言うのだ。

周達　なるほど、まずウソをつく、と。

医者　それから番頭が１つ目の部屋へと案内する。お前は、はいー、はいー、と言っていればよい。

周達　はいー、はいー。

医者　それから番頭がたばこを持ってくる。

周達　はいー、はいー。

医者　それから番頭がお茶を持ってくる。

周達　はいー、はいー。

医者　それから番頭が甘いものを持ってくる。

周達　はいー、は・・・、えっ、いくつですか。

Doctor: ... Maybe six.

Shutatsu: Then I eat them.

Doctor: No, you don't eat them! You have to look like, "I always eat such things as candy. I don't need any more."

Shutatsu: But..., that sounds like the hardest part of being a doctor. You never give me any candy. I can't act like that!

Doctor: Well, don't worry. They'll pick one up with chopsticks and tell you, "Please have one." Then you can eat it.

Shutatsu: What happens to the other five pieces?

Doctor: They'll wrap them in a piece of paper for you to take home. Now, next. They'll take you to the patient's room. You slowly get closer to her and look at her eyes, feel her pulse, and..., there is something down below her stomach, but you can't touch it.

Shutatsu: Why?

Doctor: Because.

Shutatsu: Why not?

Doctor: Just because.

Shutatsu: I'll find out for myself, then.

Doctor: All right, all right. If you touch that, she...breaks wind.

Shutatsu: That beautiful girl farts?

医者　…6つくらいかな。

周達　で、ボクがそれを食べる、と。

医者　だめだよ、食べちゃ！「甘いものなんていつでも食べてるから、もう全然いりません」ってな顔をしなくちゃならんの。

周達　でも…、それって医者になるのにいちばん難しそうなところだなぁ。先生は全然ボクに甘いものなんかくれないじゃないですか。そんなフリできません！

医者　まあ、心配するな。向こうの人が箸でつまんで、「どうぞ召し上がってください」と言うから。そしたら食べていいぞ。

周達　残りの5つはどうなるんです？

医者　家に持って帰れるように、紙に包んでくれるから。さて、次だ。患者に部屋へ連れていかれる。お嬢さんにゆっくり近づいて、目を見て、脈を診て、それで…、彼女の腹の下の方に何かあるんだが、触ってはいかん。

周達　何でです？

医者　どうしても。

周達　何でダメなんです？

医者　ただどうしても、なの。

周達　じゃあ、自分で調べます。

医者　わかった、わかったよ。もしそれに触ると、お嬢さんは…屁をするんだ。

周達　あのキレイな娘がオナラすんの？

Doctor: Now, what would you say if she does?

Shutatsu: Oh, doctor, I'd say, "I can't believe such a beautiful girl like you would fart!"

Doctor: Wrong. Totally wrong. When it happened, the maid asked me to wash my hands, but I pretended I didn't hear her. And when she pulled my arm to ask me again, I said, "Oh, excuse me. I have a hearing problem. If you don't speak loudly, I can't hear a thing."

Shutatsu: Why did you say that?

Doctor: Don't you get it?

Shutatsu: I mean, your ears are fine. You even hear me when I'm secretly taking a nap in the next room.

Doctor: Secretly? You snore too loudly! Anyway, I said that so the patient would think I didn't hear the fart and be relieved. You know what to do. Go to the Showa house for me.

Shutatsu: Ye--s, ye--s. (*Walks*) Here I am. This is the Showa house... Big house... (*Knock knock*) Hello. Hello!

Clerk: Welcome to the Showa house, doctor. We've been expecting you. ... Shutatsu! What are you doing here! Where is the doctor?

Shutatsu: I've been trained to be a doctor, and I came as a doctor today.

医者　さて、もししたら何て言うんだ？

周達　そりゃ先生、「キミみたいなキレイな娘がオナラするなんて、信じられないや！」って言います。

医者　違うな。全然違うな。そうなったとき、女中が私に手を洗いませんか、と聞いてきたんだが、私は聞こえなかったフリをした。で、女中が私の腕を引っ張ってもう一度聞いたとき、「ああ、すまないね。私は耳が悪くてね。大きな声でしゃべってくれないと、何も聞こえないんですよ」と言ってあげたもんだ。

周達　何だってそんなこと言ったんです？

医者　わからんかねえ。

周達　だって、先生の耳はちゃんとしてるじゃないですか。ボクが隣の部屋でこっそり昼寝してたってバレるのに。

医者　こっそり？お前のイビキはうるさ過ぎるんだよ！とにかく、私に屁が聞こえなかったと思って、患者が安心するように、そう言ったんだ。やることはわかったな。昭和家へ行ってこい。

周達　はいー、はいー。（歩く）さて、さて。ここだぞ。これが昭和家か。でっかい家・・・。（トントン）こんにちは。こんにちは！

番頭　先生、昭和家へようこそいらっしゃいました。お待ち申し上げておりました。・・・周達！お前、ここで何をやっているんだ！先生はどこだね？

周達　ボクは医者としての訓練を受けているんでね、きょうは医者として来ました。

付録 1　代脈 The Substitute Quack

Clerk: Oh, excuse me. I didn't know... I thought all you did is keep the house clean and keep the shoes together, and throw darts for..., I don't know what for... But please come in.

Shutatsu: Ye--s, ye--s, we are going to the first room, right?

Clerk: You know well, ...doctor. Please sit down.

Shutatsu: Where is the cigar?

Clerk: Oh, ...right away. Hey, bring a cigar!... I know, it's Shutatsu but he came as a doctor today!... Here you are.

Shutatsu: Ye--s, ye--s. (*Smokes and coughs from choking*) I...I don't smoke. Are you going to serve me some tea?

Clerk: Ah, yeah, we can do that... Hey, bring some tea!... I don't care if it's Shutatsu..., he wants it!... Here you are.

Shutatsu: Ye--s, ye--s. (*Drinks*) Now are you going to serve me some candies?

Clerk: OK. All right. Now candies! Just...give him what he wants!

Shutatsu: Ye--s, ye--s! one, two, three, four, five, six... One, two, three, four, five, six... Six pieces! Just what I thought! Don't try to trick me! I know everything... But...this is the hardest part... I have to look like, "I always eat such things as candy, so I don't want any more."...

Clerk: You don't like sweets? The doctor didn't like sweets

番頭　あ、それは失礼。知らなかったなあ・・・お前がやることといったら、家の掃除と履物をそろえることと、ダーツを投げて・・・、何のために投げてるのかは知らないけど・・・まあ、しかし、お入りください。

周達　はいー、はいー、1つ目の部屋へ行くんだね？

番頭　よく知ってるな、・・・先生。お座りください。

周達　たばこはどこかな？

番頭　あっ、・・・すぐに。おい、たばこ持ってきて！・・・わかってるよ、周達だよ、だけどきょうは医者として来てるんだってさ！・・・さ、どうぞ。

周達　はいー、はいー。(吸う) ゲホガホゲホガホ。ボ、ボクは、たばこ吸わないんだった。お茶出してくれるんでしょ？

番頭　あ、ええ、いいですよ・・・。おい、お茶持ってきて！・・・関係ないんだよ、周達だからって・・・、欲しがってるんだから！・・・さ、どうぞ。

周達　はいー、はいー。(飲む) さて、甘いもの出してくれるんでしょ？

番頭　わかった、わかりましたよ。今度は甘いものだってさ！もういいから・・・欲しがるものやっとけ！

周達　はいー、はいー！いち、にい、さん、しい、ごお、ろく・・・いち、にい、さん、しい、ごお、ろく・・・6個！思ったとおりだ！ごまかそうったってダメだぞ！全部知ってるんだから。・・・しかし・・・

neither. Should I bring you some crackers or something instead?

Shutatsu: NO!! That's not it..., that's not it at all... You are supposed to pick one up with chopsticks and say, "Please have one!"

Clerk: You are so strange... Please have one.

Shutatsu: Ye--s, ye--s! (*Eats*) Oh, so delicious. I mean, I eat this all the time, but this is better than I imagined.

Clerk: I suppose I should wrap the rest in a piece of paper for you to take home.

Shutatsu: No. I brought my own paper to wrap them in. ...Well, thanks! Good-bye!

Clerk: Wow, wait! The patient! The patient is...waiting for you...

Shutatsu: Oh. Oh, yes. I almost forgot. Of course, I must see the patient. Is she in that room? OK... Now, let me see... Wow, she's a beautiful girl. (*Stares*) Oh, yes, look at her eyes, feel her pulse... Oh, what a skinny arm! Very hairy, too...

Maid: Doctor, that's the cat.

Shutatsu: Right. Don't keep a cat in the patient's bed... Hum..., hum..., ah, there is something below her stomach. Was I supposed to push it? Or was I not supposed to...? Oh, what-

これが難しいところだ…。「甘いものなんていつも食べてるから、もう全然いりません」ってな顔をしなくちゃならない…。

番頭　甘いもの好きじゃないんですか。先生も甘いものは好きじゃなかったですね。代わりにクラッカーか何か持ってきましょうか。

周達　いやだ!! そうじゃない…、全然そうじゃないんだよ…番頭さんが箸でひとつつまんで「どうぞ召し上がれ」って言うはずだろ！

番頭　おかしな人だな…どうぞ召し上がれ。

周達　はいー、はいー！（食べる）あー、うまい。っていうか、これはいつも食べてるけど、想像した以上にうまいなあ。

番頭　たぶん、残りを紙に包んで家に持って帰れるように私がするはずなんでしょうね。

周達　いーえ。甘いものを包むのに、自分用の紙を持ってきました。…じゃ、どうもありがとう！ さよなら！

番頭　おい、待って！ 患者！患者が…待ってるんですが…。

周達　あ。ああ、そうね。忘れるところだった。当然、患者を診ないとね。お嬢さんはあの部屋？ はい…さてと、どれどれ…わあ、キレイな娘。（じーっと見る）あっ、そうだ、目を見て、脈をとって…わ、何て細い腕！しかもすごい毛深い…。

女中　先生、それはネコです。

周達　そうだね、ネコを患者の布団の中に入れておかないように…フーム…、フーン…、あ、腹の下の方に何かある。これを押すんだっけ？ 押さないんだっけ？ えーい、何でもいいや！

付録1　代脈 The Substitute Quack

ever! (*Pushes*)

BOOOOOOM!!!
(*Surprised*)

Maid: Doctor, please wash your hands.
Shutatsu: Oh, yes, yes! Well, no! I can't hear you, if you don't talk loudly. I have a hearing problem.
Maid: You too, doctor?
Shutatsu: Well, my ears are worse. I couldn't even hear THAT FART!

（ぐっと押す）

「ぶーーーーー !!!」
（驚く）

女中　先生、手を洗ってください。

周達　ああ、洗う、洗う！ あ、いや！ 大きな声でしゃべってくれないと、聞こえないんです。耳が悪くてね！

女中　若先生もですか。

周達　もう、ボクのはもっと悪いです。いまのオナラさえも聞こえなかった！

「代脈」の解説

　英語版をつくるにあたり、最も苦労が少なかった噺の一つです。実は、一番最初に英語版をつくって自分で演じたのが「代脈」でした。1998年6月、ノルウェーで演じたのが最初でした。やはり最初ですから、英語にするのに、テーマとか言葉づかいとか、英語にしやすい噺を選んでいたのです。そういう意味では、古典落語に最も忠実な英語落語の一つといえます。

Coon Dog and a Gambler

This story is about a coon dog and a gambler. Some people just love gambling. Once you start, it's hard to stop.

"That's not good."

"What's not good?"

"You like gambling too much. You always say, 'Let's bet!' That's a bad habit. You'd better stop it."

"You are right. I should stop. Yeah, I'll stop."

"You'll stop betting?"

"I never bet my money on anything."

"Oh, you said it! Hey, he says he'll stop all his gambling. Do you believe that?"

"No, I don't think so. He can never stop gambling."

"I'll stop."

"You can't. No way!"

"I really can stop!"

"You really can't."

"Fine, let's bet on whether I can stop or not!"

たぬさい

　これはたぬきとギャンブラーのお話です。ギャンブル好きの人はいるもので、一度始めたらやめられないようです。

「それはよくないよ」
「何がよくないんだよ？」
「お前はギャンブルが好き過ぎる。いつも、『賭けるか！』って言うだろ。あれは悪いクセだよ。やめたほうがいいよ」
「そうだな。やめるべきだな。よし、やめるぞ」
「賭け事やめるか」
「もう、何にもお金を賭けないぞ」
「おっ、言ったな！よう、こいつ賭け事全部やめるって言ってるぜ。信じられるか」
「いいや、だめだろうよ。こいつは絶対に賭け事やめられないね」
「やめるって」
「無理だって。絶対ダメだね！」
「ホントにやめられるって！」
「ホントに無理だって」
「よーし、やめられるかどうか賭けようぜ！」

People like that can never stop gambling. Japanese use a die for gambling. The most popular game is called "Chobo-ichi." The thrower throws a die into a cup and put the cup down on the mattress. And the players bet their money on the numbers. If I bet on three, and the die in the cup is three, I get the money bet on the other numbers. If the die in the cup is something else, I lose the money I bet. The rules are as simple as can be, but gamblers play this game all night.

This story starts from where a gambler saves a little coon dog from torture by children and this little coon dog comes over to his house that evening.

(*Knock knock*)
Gen: Oh, hey! You are the coon dog I saw this afternoon.
Coon: Yes. Thank you for saving my life. If you didn't save me from those children, I'd be a fur coat by now.

Gen: No problem.
Coon: My parents said I should do something good for you. What can I do?
Gen: No, no, that's OK. Don't worry about it.

こういう人は絶対に賭け事はやめられません。日本人はよく賭け事にサイコロを使います。最も人気のある賭けが「ちょぼいち（著簿一）」と呼ばれるものです。親がカップの中にサイコロを投げ入れ、畳の上にカップをひっくり返し、賭ける人たちがサイコロの数字にお金を賭けます。もし3に賭けて、カップの中のサイコロの目が3だったら、ほかの数字に賭けた人たちのお金をもらえます。もしカップの中のサイコロがほかの数字だったら、賭けたお金を失います。ルールはこんなにも簡単なのですが、ギャンブラーたちは一晩中この賭け事に興じます。

　この話は、ある賭け事好きの男が、子どもたちにいじめられていた子だぬきを助け、このたぬきが、男の家をその晩訪ねてくるところから始まります。

（コンコン）

源　おお、よう！お前はきょうの昼間見かけた、たぬきじゃないか。

たぬき　はい。命を助けていただいてありがとうございました。あの子どもたちから助けていただかなかったら、いまごろは毛皮のコートになっているところでした。

源　いいってことよ。

たぬき　私の両親が、あなたのために何かいいことをしなさいと言っています。何をしたらよろしいでしょうか。

源　いやいや、いいって。そんな心配いらないよ。

Coon: But my parents won't let me come home if I don't.

Gen: Why?

Coon: If I don't return something for what I was given, I'm just like a human! That's what my parents said.

Gen: Your parents are rude!... But they are right. Oh, yes, yes! I heard that a coon dog can turn himself into anything, is that true?

Coon: Yes, if I know what it is.

Gen: Can you become a die? You see, I like gambling. So if you become a die, and give me the number I tell you, then I'll win all the games!

Coon: Die..., OK. I'll try. Please count three.

Gen: OK. One, two, three! Ohhh! Great! But you are...too big.... Get smaller, smaller..., no, too small, ...a little bigger. That's a good size. This looks like a real die! (*Rolls*) What? Don't roll? It makes you sick? But I have to roll you. You are the die! (*Rolls*) Two...two...two again. Give me something different. What? Two is easy? Why? ... Because you just turn your face up and keep your eyes wide open? Humm. But I can't only have two. Give me one. Good! How do you do one? Flip yourself and show your butt hole? This is your butt hole? Humm, How about three? Good, good. How do

たぬき　でも、そうしないと、両親が家に入れてくれません。

源　何で？

たぬき　いただいたご恩を何かで返さなければ、人間と同じになってしまう！と私の両親は言うのです。

源　失礼な親だなー！･･･でも正しいな。ああ、そうだそうだ！たぬきってのは何にでも変身できるって聞いたけど、ホントかな？

たぬき　はい、そのものを知っていれば。

源　サイコロになれるか。あのな、俺は賭け事が好きなの。だからお前がサイコロになって、俺の言う数字を出してくれたら、もう何でも勝てちゃうの！

たぬき　サイコロ･･･、わかりました、やってみます。三つ数えてください。

源　よっしゃ、1、2、3！おおーーっ！すごいな！でも、ちょっと･･･大きすぎるな･･･。もっと小さく、小さく･･･、いや小さすぎるな、･･･もう少し大きく。いいサイズだぞ。こりゃあ本物のサイコロみたいだ！（ころがす）何？ころがさないでくれ？気持ちが悪くなる？でもころがさないとなあ。お前、サイコロなんだから！（ころがす）2･･･、2･･･、また･･･2。何かほかのは出ないの？何？2が簡単だって？何で？･･･顔を上にして二つの目を大きく見開けばいいからだって？うーん。でも2ばっかりってわけにはいかんのよ。1を出してくれ。よし！1はどうやるんだい？ひっくり返っておしりの穴を上にする？これ、

you make three? Open your eyes and keep your nose wet? Wonderful! So if I tell you two, you do two. If I tell you one, you do one. OK? Let's go!

Gen: Hey, hello everyone! Today I want to throw a die!

Oyaji: No, no. You don't have any money.

Gen: I do. I have money today. And I have a good die, too.

Oyaji: Let me see.... Strange, this is warm.

Gen: Oh, I just had it in my pocket.

Oyaji: This die feels funny. What's it made of?

Gen: Oh, no, don't bite it! It will bite you back!

Oyaji: What are you talking about? Humm, I see.... (*Rolls*)

Gen: Oh, no, poor thing.... Don't do that. It makes him sick.

Oyaji: What?... Anyway, this die is no good. It doesn't roll very much.

Gen: I know. It's hard... Hey, don't be lazy. You have to roll much more.

Oyaji: Who are you talking to?

Gen: Nobody. Try again.

Oyaji: (*Rolls*) ... It's going too far now....

おしりの穴なの？ふーん。3はどうだい？よし、よし。3はどうやってるんだい？両目を開いて鼻をぬらしておく？すごいな！じゃあおれが2と言ったら2をやってくれな。1と言ったら、1をやる。いいな？よし行こうぜ！

源　よう、みんな！きょうは俺がサイコロを振るぞ！

オヤジ　だめ、だめ。お前ぜんぜん金持ってないもん。

源　あるよ。きょうは金持ってんだ。それに、いいサイコロも持ってるんだぜ。

オヤジ　ちょっと見せてみろ･･･。ヘンだな、こいつ温かいぞ。

源　ああ、ポケットに入れてあったから。

オヤジ　このサイコロ何かヘンだぞ。何でできてるんだ？

源　おい、ダメだよ。噛んじゃ！噛みつかれるぞ！

オヤジ　何言ってるんだよ？ふーむ、なるほど･･･（ころがす）

源　ああ、おい、かわいそうに･･･。そんなことすんな。気持ち悪くなるだろ。

オヤジ　何だって？･･･どっちにしてもこのサイコロはよくないな。あんまりころがらないよ。

源　わかってるよ。大変なんだ。･･･よう、面倒くさがるなよ。もっともっところがらなくっちゃ。

オヤジ　お前、誰にしゃべってんだ？

源　誰でもないよ。もう一回やってみて。

オヤジ　（ころがす）･･･ころがり過ぎだろう、それは･･･。

付録1　たぬさい Coon Dog and a Gambler

Gen: Hey, stop! Come back here! Well, no, don't come back! I'll come get you.

Oyaji: ... This is strange.

Gen: But if I throw it into the cup, it'll be fine.

Oyaji: Are you sure? Well, OK. If you have money, we'll let you throw the die.

Gen: Yes! Great! Are you ready! Are you ready? Everybody bet! You bet on one? You bet on two? OK... Oh, nobody bets on three? OK! We'll bet on three. Then we will win all the money!

Oyaji: Who is 'we'?

Gen: Never mind. Buddy, give me three. You know, eyes and nose.

Oyaji: Just open the cup!

Gen: I have to make sure of the number!... Here we go! (*Opens the cup*) Ah-ha! Three! We got it!

Oyaji: Only you won. Why do you keep saying 'we'?

Gen: Come on, come on! Let's bet again! Everybody bet? Oh, nobody bets on two? OK! We like two. Two is easy! We bet on two. Buddy, keep your eyes wide open!

Oyaji: Stop talking to yourself.

Gen: Now give me two. The easiest number.

源 おい、止まれ！ 戻って来い！ あ、いや、戻って来るな！ おれが迎えに行くからな。

オヤジ …どうもおかしいな。

源 でも俺がカップに投げ入れれば、うまくいくって。

オヤジ ホントかよ？ じゃあ、わかった。金があるんだったら、そのサイコロ投げさせてやってもいいぞ。

源 よーし！ やった！ みんないいかあ！ みんないいかい？ それ、賭けろ！ お前は1に賭ける？ お前は2? オッケー、あれ、誰も3に賭けないの？ よーし！ おれらが3に賭けるぜ！ そしたらおれらがこの金全部もらえるんだ！

オヤジ 誰だよ、俺らって？

源 何でもない。相棒、3を出してくれ。わかってるな、目と鼻だぞ。

オヤジ いいからカップ開けろよ！

源 数字を確認しないと！…いくぜ！（カップを開ける）うー、やったあ！ 3だ！ おれら、やったぜ！

オヤジ 勝ったのはお前だけだ。何が"俺ら"なんだよ？

源 よっしゃ、よっしゃあ！ もう一回賭けようぜ！ みんな賭けたか。おっと、誰も2に賭けないの？ オッケー！ 俺らは2が好きだからな。2は簡単なんだ！ 2に賭けようぜ。相棒、両目をしっかり開けとけよ！

オヤジ ひとり言はやめてくれ。

源 2を出してくれよ。いちばん簡単な数字だ。

付録 1 たぬさい Coon Dog and a Gambler

Oyaji: Do it!

Gen: I know, I just have to make sure..., here we go! (*Opens the cup*) Yes! Wow! We got it again!

Oyaji: Humm, this isn't fair!

Gen: It's fair! Come on, come on! Bet your money! Everybody bet? Oh, nobody bets on one? OK! We bet on one.

Oyaji: Wait!

Gen: What?

Oyaji: Don't say the number.

Gen: Why not?

Oyaji: I don't know, but it seems like a trick. I don't like it when you say the number and you get the number.

Gen: Oh..., OK. I don't have to say the number. The number isn't important. Now, hey, buddy, flip yourself and show me your butt hole!

Oyaji: What...? Who are you talking to?

Gen: Not you! I don't want to see your butt hole! Come on, butt hole!

Oyaji: Hurry up!

Gen: I know. I'm just making sure..., here we go! (*Opens the cup*) Wow! That's one! Yes! We won again!

Oyaji: You should run out of luck soon. OK, last game!

オヤジ　やれよ！

源　わかってるよ、確認しないと…、それっ！（カップを開ける）やった！ワーオ！またやっちゃったぜ！

オヤジ　うぬぬぬ、これはずるいぞ！

源　ずるくないって！よっしゃ、よっしゃ！金賭けろー！みんな賭けたか。あれ、誰も1に賭けないの？オッケー！俺らが1に賭ける。

オヤジ　待った！

源　何？

オヤジ　数字を言うな。

源　何でダメなんだよ？

オヤジ　わからんがな、どうも仕掛けがあるようだ。お前が数字を言って、その数字が出るのが気に入らねえ。

源　うむ…、わかった。数字は言わなくったっていいんだ。数字は重要じゃないんだな。じゃあな、おい、相棒、ひっくり返っておしりの穴を見せてくれよ！

オヤジ　何…？お前、誰に言ってんだよ？

源　あんたじゃないよ！あんたのおしりの穴なんか、見たくもない！やってくれよ、おしりの穴！

オヤジ　早くしろ！

源　わかってるよ、ただ確認してるだけ…、それっ！（カップを開ける）ワオ！　1だ！　やったぞ！　俺らまた勝っちゃった！

オヤジ　お前の運もすぐに尽きるぞ。よし、最後のゲームだ！

Gen: OK, last game! Bet all your money! Nobody bets on five? We'll bet on...

Oyaji: Don't say the number!

Gen: Ah, OK, oh, how do I say that? Oh, no, ah, buddy, you know the Olympics! The Olympic symbol!

Oyaji: Do it quickly!

Gen: Buddy, you know? You know the Olympic symbol?... Here we go! (*Opens the cup*)

(*The coon dog was holding a torch*)

源　オッケー、最後ね！お金全部賭けちゃって！　誰も5に賭けないの？　よーし、じゃあ俺らが・・・。

オヤジ　数字を言うな！

源　あー、よし、ううむ、あれは何て言うんだ。あー、相棒、オリンピックわかるよな！オリンピックのマーク！

オヤジ　さっさとやれよ！

源　わかるよな？　オリンピックのマーク知ってるよな？・・・それっ！

（カップを開ける）

（たぬきが聖火を持って立っている）

「たぬさい」の解説

　この噺も、オチを考えました。オリジナルのオチの場面は、「『梅鉢の紋知ってるか、あれと同じ数だぞ。わかるか。あのー、天神さまの紋！天神さまわかるな？よーし、天神さまだ！天神さま！』とつぼを開けますと、冠被って尺持って、天神さまのかっこうをしたたぬきが座っていました」というものです。これはさすがに説明しがたいと思いました。説明はできますが、オチのところへきてダラダラと梅鉢の紋やら天神さまとの関わりなどを説明していては、もう観客は笑えません。ここは思い切って、すぱっと別のものにすることにしました。この噺の英語版をつくったのはオリンピックの年だったので、ちょうどよかったのです。これからも、オリンピックの年に演じるといいネタかもしれません。

　細かいところでは、たぬきに対する呼びかけも変えています。オリジナルでは「たーちゃん」とか「たぬちゃん」のような愛称になっているのですが、名前というのは翻訳するものではないです。でも、そのままにすると、たぬきのたーちゃんなのに、英語では「Ta-chan」には意味がありません。それであれば、むしろ別の言い方でより英語っぽく「buddy 相棒」としたほうが通りがよいと思ったのです。

付録2

英語で紹介する「落語」基本用語集

Rakugo【落語】 日本の伝統話芸のひとつ。道具や小道具を極力使わず、身振りや語りのみで演ずる。

Rakugo is one of the Japanese traditional performing arts. It is a kind of one-person story-telling using only limited props such as a fan and cotton cloth.

Yose【寄席】 落語や漫才などの演芸が専門に行われる劇場。

The *yose* is the Rakugo theater house where mostly Rakugo is performed. There is also magic, juggling, comic skits, or comic duos, which are performed in between Rakugo performances.

Koza【高座】 噺家が落語を演ずる舞台。または、口演そのものを指しても使う。

The *koza* is a stage-like platform for the performer to sit on, usually covered with red carpet. Also, the Rakugo performance itself is often called *koza*.

Hanashika【噺家】 落語を職業とする人。「落語家」ともいう。

A *hanashi-ka* or *rakugo-ka* is a professional Rakugo performer.

Teigo【亭号】 噺家の名前の苗字に当たる部分。柳家、桂、林家、三遊亭、春風亭、立川などが有名。弟子は師匠の亭号を継ぎ、多くの場合師匠から一文字もらって名前をつけてもらう。これにより、師弟関係や所属する一門がわかる。

Teigo are the family names of Rakugo performers. There are several distinctively recognizable Rakugo family names such as Yanagiya, Katsura, Hayashiya, Sanyutei, Shunputei, Tatekawa, and so on. The pupils take their master's family name, and a given name which their master decides on, which usually contains part of the master's given name. This way, it is clear who one's master is and who belongs to which family tree.

Shin-uchi【真打】 噺家の序列の最高位。入門したのち、3、4年の「前座」、さらに10年ほど「二つ目」の修業を経て技量を認められた者が昇進する。弟子を取ることができる。

Shin-uchi is the highest rank of Rakugo performer. One begins as a *zenza* (the lowest rank), and usually in three or four years graduates to *futatsu-me* (the second rank), at which level one must work for about ten more years. One must be skilled and experienced enough in order to be promoted to and recognized as a *shin-uchi*. Once one becomes a *shin-uchi*, one can accept pupils called *deshi*.

Tori【トリ】 高座の最後に登場して演ずる噺家。

The *tori* is the final performer of the show. This is usually the highest ranking performer of the day.

Mekuri【めくり】 高座の脇に呈示される、

演者の名前を書いた紙のこと。

The *mekuri* is the name stand on the side of the *koza*. The names of the performers are written in a special Rakugo font, on paper sheets which are hung from the *mekuri* and which display each performer's name while he or she is performing.

Debayashi【出囃子】 芸人が高座に上がるとき、バックに流れる太鼓や笛、三味線を使った音楽、または、演奏者。「お囃子」ともいう。

The *debayashi* or *ohayashi* is instrumental music with Japanese drums, flute, and *shamisen* (three-stringed lute). The *debayashi* is played as the performer comes up on the stage platform (*koza*).

Sensu【扇子】 落語で使う小道具のひとつ。箸や刀、釣竿などに見立てて使う。

A Japanese folding fan. It is used as a prop for Rakugo. The *sensu* can represent a pair of chopsticks, a sword, a fishing rod, etc.

Tenugui【手拭い】 落語で使う小道具のひとつ。本や財布、皿などに見立てて使う。

A Japanese cotton cloth usually used as towel, the other main prop used by *rakugo-ka*. A *tenugui* can represent a book, a wallet, a dish, etc.

Kokkei-banashi【滑稽噺】 馬鹿馬鹿しい噺。落語の大半が滑稽噺。

Funny stories usually about stupidity. Most Rakugo stories are these funny *kokkei-banashi*.

Ninjo-banashi【人情噺】 心の機微を主軸に描いた噺。

Stories about people's hearts, emotions, humanity or kindness.

Kaidan-banashi【怪談噺】 幽霊が登場する噺。
Ghost stories.

Kobanashi【小咄】 笑いを誘う短い噺のことをいう。
Short stories or short jokes.

Makura【まくら】 本題に入る前の導入部で、漫談や小咄などをすることが多い。
The *makura* literally means "pillow," but in Rakugo, *makura* means an introduction to the story. Usually small talk and short jokes are told during the *makura*, not unlike stand-up comedy.

Sage【サゲ】 噺の最後のせりふ。「オチ」ともいう。
Sage or *ochi* means punch line.

● 著者プロフィール

立川 志の輔（たてかわ・しのすけ）

昭和29年、富山県射水市（旧・新湊市）生まれ。昭和51年、明治大学経営学部卒（落語研究会に所属）。広告代理店勤務を経て、昭和58年、立川談志門下入門。平成元年、にっかん飛切落語会奨励賞受賞。平成2年、文化庁芸術祭賞受賞。立川流真打昇進。平成5年、富山県功労賞受賞。平成17年、北日本新聞文化賞特別賞受賞。著書は、『滑稽・人情・艶笑・怪談……古典落語100席』（ＰＨＰ研究所）、『志の輔の肩巾』（毎日新聞社）、『志の輔らくご的こころ』（主婦と生活社）など、多数。

大島 希巳江（おおしま・きみえ）

昭和45年、東京生まれ。高校在学中にアメリカへ留学、コロラド州立大学ボルダー校へ進学、卒業。帰国後、青山学院大学大学院にて国際コミュニケーション学修士号、国際基督教大学大学院にて教育学（社会言語学）博士号を取得。現在、神奈川大学外国語学部国際文化交流学科教授。英語落語プロデューサー＆パフォーマー。著書は、『世界を笑わそ！―RAKUGO IN ENGLISH』、『自分を印象づける英語術』（ともに研究社）、『日本の笑いと世界のユーモア―異文化コミュニケーションの観点から』（世界思想社）、『笑える 英語のジョーク百連発！』（研究社）など、多数。

英語落語で世界を笑わす！ ―シッダウン・コメディにようこそ―

2008 年 2 月 1 日　初版発行
2017 年 6 月 30 日　4 刷発行

著者
立川 志の輔
大島 希巳江
ⒸShinosuke Tatekawa and Kimie Oshima, 2008

発行者
関戸 雅男

発行所
株式会社　研究社

〒102-8152　東京都千代田区富士見 2-11-3
電話　営業 (03) 3288-7777 (代)　　編集 (03) 3288-7711 (代)
振替　00150-9-26710
http://www.kenkyusha.co.jp/

印刷所
研究社印刷株式会社

企画協力
有限会社オフィスほたるいか

編集協力
株式会社タイムアンドスペース

装丁・デザイン・DTP
株式会社イオック（目崎智子）

装丁・対談撮影
雨宮 政文

本文イラスト
ホップボックス

ISBN978-4-327-45210-0　C0082　Printed in Japan